Œdipe roi

TEXTE ÉTABLI
ET TRADUIT DU MYTHE
PAR DIDIER LAMAISON

GALLIMARD

NOTE DE L'ÉDITEUR

Les amateurs de polars adorent se réclamer de la poésie ou de la tragédie classique. C'est, pour eux, une manière réjouissante, provocatrice de revendiquer l'éternité de la littérature face à ceux qui ne voient dans le roman noir qu'un genre mineur voué à la disparition.

J'ai voulu profiter de mon passage à la Série Noire pour aller un peu plus loin dans la provocation, en publiant une nouvelle traduction de la plus noire des tragédies, celle qui raconte l'histoire de ce roi maudit qui est l'assassin de son père avant de devenir l'amant de sa mère et commandite une enquête qui le mènera à la découverte de sa propre culpabilité. Freud y puisa des trésors, tous les auteurs de la Série Noire aussi.

À mon père, Georges Lamaison,
et à quelques-uns de ses pairs :
Jean Beaufret, Alban Lamaison,
Daniel Pennac, Michel Saulnier.

CHAPITRE I

À l'époque mythique de l'Âge d'Or, les portes, dit-on, n'avaient pas encore été inventées. Les hommes n'en avaient pas besoin. Ils ne devaient se protéger ni contre le ciel, qui était toujours clément, ni contre les bêtes, auxquelles ils n'avaient pas enseigné la cruauté, ni contre leurs frères humains, qui ne mentaient pas, ne volaient pas, ne tuaient pas.

*

Mais l'histoire que nous racontons ici ne se passait pas à l'Âge d'Or – on doutait même que pareille époque eût jamais existé – et à Thèbes. théâtre de cette histoire, les portes s'étaient multipliées : les sept portes de l'enceinte, les portes bavardes des faubourgs et de la basse ville, les portes sévères de la citadelle, et, tout en haut, sur l'acropole, les portes majestueuses du palais royal.

Thèbes, elle-même, capitale de la Béotie, était une porte au cœur de la Grèce, entre le nord aux reliefs barbares et le sud riant du Péloponnèse, entre le Soleil Levant de la prometteuse Attique et le Soleil Couchant où s'étiraient les pèlerinages vers le sanctuaire de Delphes.

En cette époque troublée, tout ce qui fait le malheur de l'homme courait par les portes battantes de Thèbes : le soupçon et la médisance, l'ignorance et la peur, la maladie et la mort. Le crime, même.

Une seule porte semblait à jamais condamnée : la porte de l'Espérance.

*

Or, un soir, cette porte s'ouvrit.

Et un homme entra.

C'était à la fin d'une de ces chétives journées d'hiver qui n'ont pas la force de s'arracher complètement à la nuit.

Au deuxième jour de février, dans la brume qui brouillait le seuil entre le jour et la nuit, il était arrivé. Aucun habitant de la basse ville ne se souvenait de l'avoir aperçu. Toutes les portes étaient déjà closes. On n'attendait plus rien du monde extérieur. Les Thébains se terraient dans leur angoisse.

Il avait traversé silencieusement une ville qui suintait la mort. Pyloros, le portier de la citadelle, l'avait conduit jusqu'au vestibule du palais où les servantes l'avaient accueilli, selon le rituel. Souvent interrogé sur les circonstances de cette arrivée, Pyloros n'avait pu rapporter que trois choses sur l'étrange voyageur : la rareté de ses paroles, l'absence de tout bagage, l'enflure insolite de ses sandales. D'où venait-il ?

« Du sanctuaire de Delphes. »

Où allait-il ?

« Vers mon destin. »

Comment s'appelait-il ?

« Regarde mes pieds. On m'appelle Œdipe. »

Bien des années plus tard, nul n'en saurait davantage.

Et c'est avec le même laconisme que l'étranger avait accepté, le lendemain, de se soumettre à l'épreuve que les Thébains proposaient à tous leurs visiteurs : affronter le monstre qui faisait régner la terreur sur la cité.

— Où ?, avait-il demandé en se levant.

— Vers l'ouest, sur la route d'Orchomène à Onchestos, avait répondu Créon, le régent.

— À quelle distance ?

— Deux heures. Au pied du Mont Phargas.

*

Rares étaient les visiteurs qui acceptaient de payer un tel prix l'hospitalité de Thèbes. Créon, le régent, ne le leur cachait pas : ce monstre était terrible. Il se nourrissait de chair humaine. Il était d'une force et d'une rapidité foudroyantes. Tous les meilleurs champions de la cité y avaient laissé la vie. Il frappait avec une audace et une soudaineté prodigieuses, aux endroits les plus inattendus, tous ceux qui avaient l'imprudence de s'aventurer seuls au-delà des limites de la ville. Les Thébains vivaient en état de siège. L'impossibilité d'identifier l'ennemi, présent partout, visible nulle part, augmentait la terreur. Nourries de mythologie, les imaginations en avaient fait un monstre qu'on se représentait sous la forme d'une Sphinx. La fabulation allait bon train. Certains vous « la » décrivaient avec force détails.

— Un visage de nymphe aux yeux verts !

— Cette toison, sur cette poitrine !

— Dieux, quelle poitrine !

— Avec ça, une croupe de lionne !

… Lionne dont on affirmait qu'elle possédait aussi les pattes et les griffes meurtrières.

— On dit qu'elle vole !

— On dit vrai ! Comment frapperait-elle si vite et si loin, et partout à la fois, si elle ne volait pas ?

Certains juraient que ce n'était pas en combattant qu'elle tuait ses victimes, mais en les invitant à l'amour… Ô Méditerranée…

Bref on se rassurait comme on pouvait. Car, imaginer le pire, c'est encore se protéger contre l'inimaginable.

Bien entendu, aucun de ces témoignages n'était crédible. Personne n'avait vu le monstre ; le voir, c'était mourir.

*

Voir…

Voir, c'était le métier des devins.

On les harcelait. Leurs affaires prospéraient. Les grandes calamités favorisent les marchands de crédulité. Mais tous n'étaient pas des charlatans.

Et, moins que tout autre, le vénérable Tirésias. Une ironie du destin avait voulu que ce vieux clairvoyant fût aveugle.

« Ce sont vos yeux, répétait-il, qui vous empêchent de voir. »

Tirésias vivait seul, dans un parfait dénuement, à l'orée de la ville, sous le chaume d'une masure. Cette frugalité contrastait avec la richesse ostentatoire de ses confrères, dont la cupidité nuisait à la profession.

Tirésias sortait rarement de sa chaumière, mais sa réputation avait largement dépassé les limites de la cité. On venait le consulter de loin. Comme Thèbes était un lieu de passage pour la plupart des pèlerins de Delphes, Tirésias avait acquis une renommée considérable dans l'interprétation des oracles qu'y rendait la Pythie.

« Les messages délivrés par la Pythie vous paraissent obscurs, murmurait-il dans l'ombre de sa tanière. Mais celui qui cherche une clé pour les rendre compréhensibles, se fourvoie à coup sûr. »

Tirésias avait un secret, dont il ne faisait pas mystère. Ce secret reposait sur une constatation de pur bon sens.

« Si le dieu Apollon qui parle par la bouche

de la Pythie voulait cacher quelque chose, pourquoi parlerait-il ? S'il voulait adresser un message aux hommes, pourquoi le travestirait-il ? »

Et il concluait sentencieusement :

« À Delphes, le dieu fait signe, il crée du sens ! »

Cette phrase n'avait guère de « sens » aux yeux de la majorité des consultants… Mais ceux qui la comprenaient en retiraient, disait-on, le plus grand profit.

Naturellement, on consulta le vieil aveugle pour tenter d'éclaircir la malédiction qui pesait sur Thèbes. L'assemblée du peuple lui avait envoyé deux représentants. À la question qu'ils lui adressèrent, Tirésias répondit par une autre question.

Une seule :

— Il y a trois semaines déjà, votre roi Laïos a été lâchement assassiné. Qu'avez-vous fait pour retrouver les coupables de ce crime abominable ?

— Comment faire, Tirésias ? Laïos a trouvé la mort sur une route lointaine !

— La Sphinx nous empêche de sortir !

— Nous sommes prisonniers ! Toute enquête est impossible !

Ils eurent beau protester, Tirésias n'avait plus rien dit.

L'assemblée du peuple débattit à n'en plus finir sur le sens de la question posée par Tirésias. De nombreux devins participaient à la controverse, sur la place de la ville. Ils n'avaient aucun intérêt à ce que la parole de Tirésias fût clarifiée ni érigée en vérité publique.

— Quel rapport entre la Sphinx et Laïos ?

— Elle est apparue juste après la mort du roi.

— Et alors ?

— Simple coïncidence !

— Tirésias se moque de nous !

— De l'obscur sur de l'obscur ! C'est commode !

— Se prendrait-il pour la Pythie ?

— Non, c'est un vieux radoteur...

Au troisième jour, on s'était lassé de débattre. La peur, que l'excès de paroles avait d'abord éloignée, revint nicher dans les esprits. Et avec elle, la vénération pour la sagesse du vieil aveugle. Il fut donc convenu que Tirésias avait raison. La Sphinx, oui, était un châtiment pour le meurtre impuni du roi Laïos. Une fois établi ce lien de cause à effet, il en résulta presque naturellement que celui qui délivrerait

Thèbes de la Sphinx monterait sur le trône du défunt roi.

— C'est juste, oui ! Le trône de Laïos revient à celui-là !

— Oui cela est juste !

— Le trône du roi et le lit de la reine !

Ainsi en avait décidé le peuple de Thèbes.

*

Cette décision stupéfia Créon, le régent. Il en avait immédiatement mesuré les énormes conséquences : c'était une révolution ! Si le ciel accordait à Thèbes un pareil vainqueur, selon toute probabilité l'homme serait étranger au sang des Labdacides. Ce serait la fin d'une dynastie ! Et que deviendrait sa sœur Jocaste, dans le cas où l'homme promis à sa couche serait déjà marié ? Et qu'arriverait-il si cet étranger venait d'une cité rivale – la proche Platées, par exemple, la belliqueuse Orchomène, ou la puissante Mycènes ? Ce serait la fin d'un monde !

Créon avait exposé ses craintes aux représentants du peuple de Thèbes. En vain. Le peuple en avait ainsi décidé. La vacance du trône conférait au peuple une absolue souveraineté.

« Et la vacance de cervelle confère aux peuples affolés la souveraine possibilité de décider n'importe quoi !... » Folie ! On précipitait Thèbes vers le désastre ! Jamais Créon n'y consentirait. Il ferait tout pour l'empêcher. Mais Créon se heurtait aussitôt à sa propre impuissance. Frère de la reine, on l'avait fait régent. Simple commis à l'expédition des affaires courantes... Pâle succédané.

Alors une grande idée germa dans cette tête qui n'en avait jamais eu : il serait le sauveur de cette cité qu'il aimait plus que tout au monde ! Il sauverait Thèbes malgré elle. Il la sauverait d'elle-même.

De ce jour datait son projet de s'emparer du trône. Mais jamais il ne confierait cette ambition à quiconque. Il lui faudrait manœuvrer seul. Et sans recourir à la force : Créon avait le culte de la légalité. Et la conscience de ses limites – c'était même sa principale qualité. À quel titre se rendrait-il digne du trône ?

Il y réfléchit.

Et comprit enfin que la réponse lui avait été fournie par Tirésias lui-même : oui, il y avait un grand premier rôle à tenir dans la pièce qui se tramait… Le rôle que personne n'avait songé à endosser : vengeur de Laïos ! Tirésias avait raison : il était scandaleux qu'aucune enquête sérieuse n'eût été menée à ce jour pour découvrir les auteurs de ce crime. Quoi ? On assassinait le roi et les responsables couraient toujours ? Ils ne couraient même pas ! Ils devaient se prélasser dans l'enceinte même de la ville ! Y jouir tranquillement de leur crime ! Dans quel monde vivait-on ? Il ne fallait pas avoir peur des mots : à Thèbes, dans les faits, le régicide jouissait bel et bien de l'impunité !

Une pensée en fortifiant une autre, Créon ne doutait plus de son succès. Quand le cauchemar de cette Sphinx de malheur prendrait fin, ses concitoyens se réveilleraient, ils prendraient conscience de l'énormité de la situation. Alors, lui, Créon, entrerait en scène.

Quelques semaines avaient passé. On était au cœur de l'hiver.

Et cet homme était arrivé.

Cet homme aux pieds enflés. Cet Œdipe. Cette créature de l'hiver.

Et il avait accepté sans hésiter d'affronter la Sphinx. Créon l'avait mis en garde, pourtant. Mais Œdipe était parti si vite au combat, que le régent n'avait pas même eu le temps de lui annoncer le prix de la victoire. Créon ne faisait valoir cette clause qu'en dernier lieu, à contrecœur, en traînant les mots.

*

Du haut de l'escalier majestueux, entouré des chefs des meilleures familles, Créon avait regardé Œdipe s'éloigner. Il ne donnait pas cher de sa vie. L'homme n'avait rien d'un Hercule. Une musculature de poète, plutôt… Une victime de plus… Dommage : c'était un homme droit. Parti sans même se soucier de la récompense… Créon lui en était reconnaissant. Tous ceux qui avaient assisté à la scène admiraient la loyauté de cet étranger qui agissait pour le seul respect des lois de l'hospitalité.

Dans la pâle lumière de ce matin-là, Œdipe avait traversé la même ville fantôme que la veille. Mais le silence en était d'une autre nature. Les portes s'étaient entrebâillées sur son passage : cet entrebâillement chuchotait l'admiration, mais aussi l'immémoriale lâcheté des vivants face à celui qui va regarder la mort en face.

Quatre heures !…

À peine la longueur du trajet aller retour !

Quatre heures seulement et les guetteurs de la citadelle repéraient un homme qui se dirigeait vers Thèbes. Il suivait le chemin emprunté par Œdipe.

Un frisson avait parcouru la ville.

— Serait-ce lui ?

— Déjà ?

— De retour ?

— Vivant ?

— Vainqueur ?

Les plus incrédules même s'étaient précipités en foule vers la porte Borrheae pour identifier le revenant.

Le char d'Apollon était au milieu de sa course. Le soleil d'hiver avait enfin réussi à percer. Ni sur son corps ni sur ses vêtements, Œdipe ne portait la moindre trace de violence. Saisie de stupeur, la foule s'était écartée et l'avait escorté jusqu'au palais.

« La cause de vos tourments n'est plus. »

Pas un mot de plus.

Créon ne parut pas convaincu, d'abord. « La Sphinx n'est plus ? » Impossible d'en savoir davantage. Cet homme était une énigme vivante.

*

Depuis ce matin-là, Créon était la proie d'une obscure conviction : une machine infernale était en marche. Tout lui échappait. Le peuple était impatient de couronner son héros. Créon eut beau rappeler aux Thébains qu'il fallait d'abord retrouver les assassins de Laïos, qu'il y allait des fondements mêmes du droit, des lois de la piété, autant dire de l'existence même de Thèbes…

En vain.

On balaya ses objections, on oublia les quelques informations précises recueillies sur le crime; le peuple de Thèbes élabora sa propre version des faits.

— Laïos a été tué par la Sphinx, c'est clair!

— Or Œdipe a tué la Sphinx!

— Donc Œdipe a vengé Laïos.

C'était commode et définitif.

Créon était accablé. Le réveil des consciences sur lequel il avait tablé ne s'était pas produit.

Œdipe aussi lui échappait. Elle s'était bien vite urbanisée, la créature de l'hiver! Susciter le bonheur général, cela vous transforme un homme! Œdipe avait troqué ses allures ténébreuses et farouches contre un comportement aimable, spirituel et cultivé. Il avait bien de l'éducation, cet étranger. D'une certaine façon, Créon s'en réjouissait : le futur roi de Thèbes ne serait pas un rustre ! Mais tant d'aisance créait un malaise. Car, à bien y regarder – ce que personne, hormis Créon, ne faisait –, le mystère du personnage restait entier. Œdipe ne parlait jamais de lui-même…

« Comment ? Un individu dont on ignore tout, jusqu'à la façon dont il a terrassé la Sphinx, s'apprête à monter sur le trône de Thèbes, et personne ne s'interroge ? Et on ne prend même pas l'avis de Tirésias ? Hélas !… Les hommes ne combattent l'ignorance que lorsqu'elle apporte le malheur. Que l'ignorance leur profite, et ils se soucient de la science des devins comme d'une guigne ! »

Enfin, Créon avait compté sur sa sœur pour l'aider à susciter des obstacles sur le chemin d'Œdipe vers le trône. Mais Jocaste à son tour lui échappait. Depuis la disparition de Laïos, Créon avait pris l'habitude de s'entretenir avec elle des affaires du royaume, ou de leurs soucis familiaux – la santé de leur père Ménoecée, par exemple, qui les inquiétait…

Mais Jocaste changeait.

— Créon, dit-elle un soir qu'ils contemplaient la ville, tu prétends n'avoir pas d'égal pour la connaissance de nos lois et de nos coutumes, n'est-ce pas ?

— Le Conseil des Anciens m'y concède une certaine compétence, en effet.

— À ton avis, combien de temps encore les convenances exigeraient-elles que je porte le deuil ?

— Quitter le deuil ? Tu n'y penses pas !

Le regard de Jocaste se perdit au loin.

— Je pose une seconde question au juriste : peut-on légalement aller contre la volonté du peuple ?

Le soleil déclinait. La journée avait été belle. Les portes étaient ouvertes sur la terrasse de l'appartement – le seul de Thèbes qui fût en étage. La nature bruissait des prémices du printemps. La ville bourdonnait de toute sa vie restaurée. Créon avait contemplé la beauté de cette femme de trente-cinq ans, et compris qu'il est des forces profondes auxquelles on ne peut s'opposer.

*

Œdipe, lui, ne s'appartenait plus.

Les meilleures maisons voulaient recevoir

le héros à leur table, l'entendre, le toucher. Hymnes et poèmes épiques fleurissaient sur son exploit. On l'auréolait de légende. Il en jouissait chaque jour davantage. Il succombait aux charmes du personnage glorieux que les Thébains lui façonnaient.

On le voyait peu au palais. Jocaste honorait de sa présence les banquets donnés pour lui, mais n'y participait pas. Derrière les voiles de son deuil, elle contemplait à la dérobée celui qu'on lui destinait. L'éclat de sa jeunesse la troublait. Elle cherchait en vain à réprimer ce trouble.

Elle se faisait honte.

Déserter si vite la mémoire de son mari…

Ce nouveau mariage n'était-il pas contre nature ?

Quel âge pouvait avoir cet Œdipe ? Vingt ans à peine ! Au regard de la coutume, cette union était un pur scandale. En âge d'être grand-mère, Jocaste avait-elle le droit de redevenir nubile dans les bras d'un jeune homme ?

Mais qu'allait-elle imaginer là ? Ce serait, bien sûr, un mariage de pure convenance. La femme de Laïos ne consentirait pas à entrer dans le lit du déshonneur.

Femme de Laïos !… L'aïeule !… Tu ne voudrais pas de lui ? Mais lui ? Lui ? Sa jeunesse voudra-t-elle de toi ?

Jocaste se surprenait à passer devant son miroir beaucoup plus de temps qu'elle n'aurait voulu.

Parfois, elle rougissait.

Créon, le Conseil des Anciens et les représentants du peuple se réunissaient souvent pour débattre de la succession de Laïos. Jocaste n'était jamais consultée. Elle en était presque soulagée. Elle ne se sentait capable ni de consentir ni de refuser, éprouvant une étrange douceur à cette démission. On statuait sans elle de l'avenir de son corps. Elle n'en était plus responsable. Elle ne s'appartenait plus. Qu'il en fût fait selon les volontés de Thèbes !

La volonté de Thèbes…

Les Anciens ne protestaient pas vraiment. Ils maugréaient.

« La volonté de Thèbes… »

Eux non plus ne voyaient pas d'un bon œil l'ascension de cet Œdipe dont ils ne pouvaient pourtant nier l'étrange pouvoir de fascination.

Les Anciens s'exprimaient par la bouche de

Presbytès, celui dont la vue portait le plus loin :

« Les infirmités de l'âge font aussi sa force, souriait Presbytès... Un privilège. Quand la vision rapprochée s'affaiblit, les yeux saisissent plus nettement les spectacles lointains. »

Et il ajoutait, pour ceux qui feignaient de ne pas comprendre :

« Il en va de même pour le jugement. »

Presbytès était donc le veilleur des lointains, et son opinion rayonnait sur la cité.

Il avait tenté de ralentir l'ascension d'Œdipe en rappelant la durée nécessaire du deuil imposé à Jocaste. Mais sans grande illusion. Il le reconnaissait lui-même :

« En ces jours de liesse, le rappel d'un deuil, même récent, ne saurait longtemps contenir le peuple et son besoin d'être heureux. »

Mieux aurait valu dénoncer ouvertement la différence d'âge entre cette reine et cet Œdipe que le peuple prétendait unir. Mais la courtoisie du vieux Presbytès lui interdisait de rappeler l'âge de Jocaste. De l'évoquer, même.

« Il serait plus efficace, se disait-il, d'argumenter sur le terrain proprement politique...

Thèbes ne peut accepter un roi venu d'ailleurs. »

Seulement, Œdipe avait séduit Presbytès, autant que la reine, autant que les Anciens, autant que le peuple.

« Mes yeux portent au loin, certes, mais mon jugement, s'il la devine, ne peut saisir la part d'ombre dans l'éclat de cet homme. »

Et les Anciens ne l'aidaient guère. Leurs réticences semblaient de moins en moins convaincues.

« C'est peut-être un bienfait que cet homme nous arrive sans attache.

— Œdipe est un homme neuf, Presbytès ! Vierge de tout ancrage dans un passé ou dans une terre.

— Avec lui, Thèbes va renaître ! »

Presbytès écoutait. Presbytès pressentait l'ombre lointaine, mais, comme tous, il se laissa séduire par la lumière.

*

Et Thèbes renaquit. Un à un, elle reprit les fils de l'ouvrage interrompu depuis la mort de Laïos : la tapisserie du bonheur.

Le premier fut le couronnement d'Œdipe.

Les festivités se prolongèrent bien au-delà des grandes Dionysies du printemps.

Le second fut la révélation des qualités du nouveau roi. Malgré son jeune âge Œdipe était un administrateur avisé, un roi sage, éclairé, qui savait se faire aimer.

La fécondité du couple royal vint épaissir la trame de ce beau tissage : Jocaste enfanta quatre fois. Le présent ouvrageait l'avenir.

Aucune des craintes qui avaient précédé l'union d'Œdipe et de Jocaste n'avait été justifiée. Jocaste avait réussi à s'emparer de ce jeune cœur par les mêmes sortilèges que la nuit se fait désirer du jour.

Cette victoire en avait émerveillé plus d'un...

Pendant les longues semaines qui avaient précédé leur mariage, l'imagination d'Œdipe s'était enflammée à la présence énigmatique de cette femme voilée qu'on lui destinait. Ces voiles avaient exacerbé son goût de l'énigme : on ne pouvait plus sûrement attiser son désir.

Le moment venu, Œdipe avait pris Jocaste, sans arracher son voile.

Ils s'étaient aimés intensément.

L'amour s'édifie sur des vérités voilées.

La vie même ne procède pas autrement. Ce fut le secret de la prospérité thébaine pendant près de dix ans, sous la conduite de ce roi chéri des dieux et des hommes.

CHAPITRE II

Le bonheur se reconnaît, dit-on, au bruit qu'il fait en s'en allant, laissant derrière lui les portes battantes.

Le bruit vint d'abord du ciel. De terribles orages de grêle saccagèrent une première récolte. Il se prolongea par les murmures qu'éveilla une sécheresse anormale, et par l'épais silence de la nature altérée. Les sources tarissaient, les herbages se clairsemaient, et, sur le mont Cithéron, les troupeaux gémissaient. La rumeur s'amplifia lorsque, coup sur coup, plusieurs femmes moururent en couches. On racontait partout leurs douleurs atroces. Le drame entamait son porte-à-porte. Il établit bientôt des relations mystérieuses entre plusieurs fausses couches et grossesses malheureuses.

C'en était fait : la cité était frappée de stérilité. Le mot passait de bouche en bouche :

« Stérile ! »

Le malheur s'y entend à faire flèche de tout bois... Et le malheur distille le goût du malheur.

Inlassable, la rumeur amassait son butin de mauvaises nouvelles. Une épidémie se déclara. C'était une grippe. On en fit une peste.

« La peste ! »

Œdipe, toujours attentif au bien-être de ses sujets, s'était jusqu'alors tenu en alerte. Sans trop s'émouvoir. Il connaissait le goût du peuple pour la dramatisation.

Mais quand apparurent les premières manifestations de ces fièvres mortelles, il perçut les relents de la tragédie, qui montaient des autels fumants d'Artémis, d'Apollon, d'Athéna. Il se sentit impuissant à enrayer ce qui se préparait.

Mais une circonstance inattendue allait lui permettre d'engager la lutte.

*

La maladie avait mis en échec l'antique savoir-faire des femmes, dont l'habileté est aussi merveilleuse à envenimer les maux des hommes qu'à les soulager. Elle déjoua la science millénaire des médecins ; après avoir en vain tenté les baumes, les potions, les infusions et les cataplasmes, ils envoyèrent chercher jusqu'en Crète l'artémidion aux vertus réputées miraculeuses.

Rien n'y fit. La mort demeurait plus savante.

Alors le troupeau se tourna vers son berger. Depuis son arrivée et sa victoire énigmatique sur la Sphinx, on prêtait secrètement à Œdipe des pouvoirs surnaturels. Une procession d'enfants lui fut envoyée. Vêtus de blanc, un rameau de suppliants à la main, ils montèrent vers l'acropole en chantant une lente mélopée. Ils offraient le spectacle de l'innocence meurtrie. Œdipe les accueillit devant la rotonde destinée au culte d'Artémis. Un enfant récita :

« Ô divin roi de Cadmée, ton peuple t'implore de manifester en sa faveur les pouvoirs qui font de toi l'égal d'un dieu ! Ô divin roi de Cadmée, sois son sauveur pour la seconde fois ! »

Œdipe ne laissa rien paraître de sa surprise. Mais après avoir ordonné les sacrifices rituels, il convoqua une assemblée des représentants du peuple et du Conseil des Anciens, et leur demanda des comptes sur cette procession, qu'il considérait comme une dangereuse mascarade.

« Qui a ordonné cette cérémonie ? Qui a mis dans la bouche des enfants ces supplications impies ? Qu'ai-je à voir avec cette épidémie ? Qui cherche à impliquer ma responsabilité dans un malheur où je suis aussi démuni que vous tous ? »

On apprit au roi que, depuis de longues années, il était révéré comme un dieu, ou un demi-dieu. On soupçonnait même que, dans le retrait de bien des habitations, partout en ville, se trouvait un autel sur lequel on lui rendait des dévotions occultes.

« Pourquoi, aussi, avoir entretenu un pareil mystère autour de vous ? »

Œdipe fut accablé, d'abord, en comprenant que toute une partie de son être lui avait échappé, et menait une existence autonome dans l'imagination de ses sujets. Il avait horreur de ne pas maîtriser son image publique. Le processus de déification dont il était victime lui paraissait inepte et dangereux.

Mais une royale colère prit la place de l'accablement lorsqu'on mit en cause sa tendance à faire mystère de lui-même.

« Mais qui dissimule ici ? » s'écria-t-il.

Il y eut un silence.

« Je suis arrivé dans une cité fantôme,

décapitée, assiégée. Quelle faute Thèbes purgeait-elle par cette Sphinx ? Personne n'a jamais consenti à me répondre clairement sur cette question. Et pourquoi les Thébains se comportent-ils aujourd'hui, face aux épreuves, comme s'ils étaient maudits, comme s'ils assistaient à je ne sais quel retour cyclique d'une calamité ? J'ignore ce qu'il y a dans votre passé, mais je veux enfin vous déclarer que je le sens bien trouble, bien inavouable ! Prenez garde que la tempête qu'on voit grossir ne fasse remonter à la surface des vases pestilentielles ! »

Et, enfin, cette triple question qui semblait les résumer toutes :

« Comment mon prédécesseur est-il mort ? Quelle faute a-t-il expiée ? Et par quel bras ? »

Cette colère agit en Œdipe comme une révélation. On lui demandait d'intervenir entre Thèbes et son destin ? Soit ! Il interviendrait ! Alors il se rappela que, sous la patiente sédimentation des jours heureux, jamais ne l'avait quitté un malaise souterrain. On lui avait caché trop de choses. Il fallait explorer le passé de Thèbes. Et il fallait que quelqu'un l'aidât.

Sa femme Jocaste ? Cette aimante et parfaite

complice… Il y songea, d'abord. Mais il se souvint de son trouble et de son silence, le jour où, à la naissance de leur premier fils, Étéocle, il avait hasardé une allusion à la longue stérilité de son union avec Laïos. Troublée, silencieuse, contrariée, la reine s'en était allée. Non, il serait indélicat de forcer Jocaste à réveiller un passé où lui, Œdipe, n'avait pas de place.

Il décida de se tourner vers ceux dont le métier prend le temps pour unique matériau, comme les géomètres ne jouent que de l'espace. Ceux qui passent leur temps à écouter le temps : les devins.

On se trompe en croyant que leur art ne consiste qu'à lancer des coups de sonde plus ou moins chanceux dans l'avenir. S'ils prétendent discerner le futur, c'est qu'ils possèdent du passé une connaissance plus profonde que le commun des mortels. Ils ne voient plus en aval que parce qu'ils voient mieux en amont.

Œdipe n'avait jamais rencontré Tirésias, bien qu'il fût un de ses sujets les plus illustres. Jocaste n'aimait pas ce vieillard illuminé. Du reste, elle se défiait des devins :

« Ces vaticinateurs… J'ai de bonnes raisons pour les mépriser ! »

Œdipe s'en remit à Créon.

« J'apprécie vos conseils, Créon. L'heure est décisive. Je souhaite consulter les dieux, et provoquer un choc dans l'esprit des Thébains. Votre sœur n'estime guère Tirésias... »

Créon s'autorisa le temps de la réflexion.

— Si le roi se contente de consulter un devin de notre cité, répondit-il enfin, la démarche manquera de grandeur. Il faut en appeler à Delphes.

— L'oracle de Delphes ? Soit ! Vous y serez mon ambassadeur.

La décision était prise.

« Peut-être conviendrait-il d'attendre mon retour pour divulguer l'objet de ce voyage », suggéra Créon, qui craignait d'indisposer sa sœur.

Œdipe s'emporta de nouveau :

« La dissimulation ! Encore et toujours de la dissimulation ? Quel peuple de comploteurs vous faites ! Mais qu'avez-vous donc à cacher, pour avoir peur de la parole de la Pythie ? »

Créon regarda au loin. Vers Delphes.

— C'est sans doute parce que nous ne le savons pas que nous la redoutons.

— Pour ma part, je n'ai rien à me reprocher,

et je ne crains pas l'oracle. Que sa lumière soit !

Les yeux de Créon se reportèrent sur le roi. Il hésita, puis :

— C'est quand on ne soupçonne rien de ce qu'elle peut nous apprendre qu'on ne redoute pas la Pythie…

Le roi eut un sursaut :

— Vous vous égarez, Créon !

— Non, majesté, non… j'imagine. J'imagine la situation pénible qui serait faite au roi si, par quelque indice, la Pythie venait à mettre en cause sa personne…

*

Créon se mit en route avant le jour. Il n'y a qu'une centaine de kilomètres entre Thèbes et Delphes, mais le chemin est accidenté à travers le massif de l'Hélicon.

Une semaine s'écoula. Œdipe perdait patience. Il révisait sans fin ses calculs : trois ou quatre jours pour le trajet, deux ou trois, selon l'affluence, pour consulter l'oracle : Créon aurait dû être de retour. Les lamentations populaires se faisaient de plus en plus démonstratives. Elles exaspéraient l'impatience royale.

Et puis… Œdipe ne pouvait se le cacher : les insinuations perfides de Créon avaient fait leur chemin dans son esprit. Elles ranimaient par bribes son propre passé, qu'il avait pris l'habitude de considérer comme insoupçonnable.

Lorsque, dans la septième nuit, Créon se fit annoncer, Œdipe ne dormait pas. Il était assis, seul, dans la salle d'honneur, auprès du foyer qui en occupait le centre. Il s'était laissé envoûter par le lent spectacle du feu qui s'endort. Les derniers rougeoiements éteints, l'obscurité s'étalait, comme diffusée par l'amas de cendres. Seules des clartés descendaient du ciel, par ondes incertaines. Et Œdipe se demandait s'il vivait encore, là, sous cet entassement carbonisé, le petit atome d'incandescence d'où pouvaient repartir flamme, flambée, embrasement, incendies…

Créon apparut, dans la lumière des torches.

Sur son front, les baies de laurier annonçaient des nouvelles apaisantes.

Elles l'étaient.

Selon la Pythie, le sang d'un ancien meurtre resté impuni continuait à tourmenter la cité. Il fallait en confondre l'auteur, qui vivait toujours dans le pays. « On ne capture que ce qu'on se donne la peine de chercher, on ne peut chercher que ce qu'on a déjà trouvé. »

Pour une fois, l'oracle rendu n'était pas sibyllin. Nul besoin de la science de Tirésias pour comprendre que c'était le sang versé de Laïos qui réclamait encore vengeance.Créon semblait soulagé plus que de mise. Après tant d'années, les événements lui donnaient enfin raison ! Son humeur allègre intrigua le roi, qui s'abstint de lui en faire la remarque. Après tout, il était lui aussi soulagé. D'une certaine façon.

Des hérauts parcoururent la ville en battant tambour. À midi, une énorme foule se pressait au pied du palais. Au-delà de sept mille personnes, Pyloros le portier, féru d'arithmétique, avait cessé de compter : sa réserve de cailloux était épuisée. Habités par un immense espoir, les Thébains attendaient l'apparition de leur roi bien-aimé.

Celui-ci n'avait pas perdu de temps. Dans la matinée, il s'était entretenu avec ses plus proches conseillers : Oudéos, Hyperénor, Pélorion, tous compagnons de chasse. Il avait reçu le sage Presbytès, et il avait enfin révélé à la reine la mission dont s'était acquitté Créon. Tous avaient approuvé cette initiative.

Et ce fut le commencement de l'enquête.

Œdipe recueillit quelques premiers indices. C'était sur la route de Delphes que Laïos avait trouvé la mort. Il était accompagné d'une escorte composée de son fidèle ami Naubolos, du héraut Polyphontès, d'un cocher et d'un vieux serviteur qui ne le quittait jamais – et qui était le seul survivant. D'après le témoignage de cet homme, la petite troupe était tombée dans une embuscade parfaitement préparée. Tout laissait penser que l'affaire avait été commanditée, et qu'il s'agissait d'un complot parti de Thèbes même. Thèbes avait envoyé ces tueurs sur le chemin de Laïos !

L'enquête ne s'annonçait pas facile. Le temps écoulé avait dressé des obstacles qui risquaient d'être insurmontables. Ce serait un véritable travail d'archéologue. Œdipe maudissait l'incroyable négligence des Thébains. On se réfugiait derrière les mêmes excuses qui avaient servi, jadis, face à Tirésias : la Sphinx, son arrivée à lui, Œdipe…

« Mais enfin ! Un roi a été tué ! Comment ne pas avoir mis tout en œuvre ? Fallait-il que ce roi fût peu populaire ! »

À moins que…

Œdipe s'était interrompu. L'éblouissement de l'évidence. Sa conviction était faite tout à coup : un personnage influent avait décrété la mort de Laïos ; et le même homme avait fait en sorte que l'enquête tournât court.

Œdipe découvrait soudain l'urgence de ne pas laisser un régicide courir dans la nature : il y allait de sa propre sécurité.

Les portes du palais s'ouvrirent avec une pesanteur solennelle. Les tubas sonnèrent. Œdipe s'avança sous le portique monumental, en costume de gloire. Il était accompagné de Jocaste, qui avait revêtu la somptueuse robe d'apparat tissée autrefois par les Charites pour les noces d'Harmonie et de Cadmos. Au cou de la reine brillait le collier d'or qu'Europe avait offert à son frère Cadmos, et qui, disait-on, avait été forgé par Héphaïstos en personne.

Le roi parla enfin :

— Dans la calamité qui accable notre cité, vous vous êtes tournés vers celui qui ne tient ce sceptre que par votre volonté. Vous l'avez cru en possession de pouvoirs surnaturels : c'était une erreur. Une erreur douce à mon cœur, puisque née du vôtre. Votre roi n'est qu'un mortel aussi désarmé que vous devant le fléau. Mais vous lui avez confié des pouvoirs qu'il veut consacrer à soulager votre peine. J'ai envoyé Créon à Delphes. Il en est revenu cette nuit, à marches forcées. Apollon ordonne que Thèbes lave la souillure du meurtre de Laïos, dont l'assassin se trouverait encore parmi nous. À compter de cet instant, la recherche de l'assassin ne connaîtra plus de trêve.

Alors le roi édicta.

Si le meurtrier se dénonce lui-même, il ne lui sera fait aucun mal, et il ne sera condamné qu'à quitter le pays. Si l'un de ses complices le dénonce, il gagnera l'impunité. Si un citoyen quelconque, de quelque condition qu'il soit, si même un étranger apporte un témoignage permettant d'identifier le coupable, une importante récompense lui sera offerte. Mais quiconque continue à accorder au coupable hospitalité et protection, quiconque lui adresse la parole ou l'associe à des prières ou à des sacrifices, sera puni de bannissement.

« Sachez-le, nul n'est exempt de ces dispositions, pas même le roi, qui s'expose aux mêmes peines si, par malheur, il lui arrive de recevoir chez lui ce criminel. Le scélérat ne connaîtra plus le repos ! Il sera poursuivi sans relâche par une justice impitoyable ! Que nul ne l'ignore ! »

*

Dès lors, personne ne fut plus en sécurité. La malveillance succédant instantanément au défaitisme, les ragots pullulèrent. Comme si Œdipe avait lâché une armée de petits rongeurs affamés sur le corps mutilé de la cité. Les Thébains avaient inconsidérément pris une épidémie de grippe pour une peste ; ils n'imaginaient pas que des rats d'un autre genre allaient envahir leur ville : les mouchards, les fourbes, les médisants, les délateurs, les traîtres, les diffamateurs et les calomniateurs.

Le choc escompté par Œdipe s'était bien produit, mais ses conséquences le débordaient.

L'enquête piétinait, encombrée par la profusion des dépositions dont il était impossible de vérifier le bien-fondé. Une simple imprécation entendue jadis contre les Labdacides suffisait à éveiller les soupçons et à motiver une dénonciation. Les sycophantes étaient de retour.

Œdipe dut se résoudre à l'évidence : le corps social était attaqué. Il fallait agir, et vite ! Devant ce déchaînement des esprits, il se prit à penser que la solution pourrait se trouver en deçà du meurtre de Laïos proprement dit : faudrait-il fouiller dans les profondeurs du passé de Thèbes ?

Ce fut Créon lui-même qui suggéra au roi de prendre l'avis de Tirésias, pour tenter de clarifier certains éléments de l'oracle, sur lesquels ils étaient peut-être passés un peu vite. Créon vénérait l'aveugle lucide autant que sa sœur s'en méfiait.

— En secret, recommanda-t-il.

—En secret ! gronda Œdipe, toujours en secret ! Eh bien, soit ! j'entreprendrai une démarche personnelle, en qualité d'étranger.

CHAPITRE III

Les yeux d'Œdipe apprivoisèrent lentement l'obscurité de la petite pièce. Pas d'autre ouverture qu'une porte très basse, à demi obstruée par le lierre et qui donnait sur un jardin planté de férules jaunes. Ses oreilles apprivoisèrent lentement le silence. Une voix grave finit par chuchoter :

« Je t'attendais. »

Œdipe eut un sourire. Si Tirésias imaginait le surprendre par cet accueil, il se trompait. Certes, Œdipe ne s'était pas fait annoncer dans la célèbre masure des faubourgs de la porte Kréneai ; mais quelle difficulté pour un Tirésias, songeait-il, d'identifier l'approche d'une royauté ?

— Pourquoi avoir tant tardé ? demanda la même voix.

— Dix années de mon règne ont prouvé

qu'on peut gouverner sans l'assistance de ton art, répondit Œdipe, en s'accroupissant près de l'endroit d'où la voix partait.

— On le peut, oui, partout ailleurs qu'à Thèbes, répondit Tirésias.

Œdipe cherchait à distinguer l'homme.

— Pourquoi te flattes-tu que ton art y soit plus utile que partout ailleurs ?

La réponse vint aussitôt :

— Parce que Thèbes est le royaume des aveugles.

— Veux-tu dire que l'assassin que nous recherchons nous crève les yeux ?

— L'oubli seul empêche d'y voir clair.

— Il est bien vrai que le temps qui a passé sur ce crime ne facilite pas la découverte de la vérité.

— Le temps est maître de vérité. Par lui, tout vient à se découvrir.

— On te dit maître de vérité, vénérable Tirésias. Accepteras-tu d'aider le temps ?

Les sentences de l'aveugle semblaient flotter dans l'intemporel. Œdipe tentait de les ramener au présent.

À sa dernière question, Tirésias ne répondit pas. Une odeur âcre de résine brûlée imprégnait la pièce. Œdipe se demanda si c'était du ciste ou de l'aliboufier. Un frôlement d'aile le fit sursauter. Il se souvint que Tirésias était l'ami des oiseaux. Au bout d'un moment, il perçut que le vieillard se levait, et il entendit le bégaiement de son bâton de cornouiller.

« J'aimerais avoir ton opinion sur mon petit vin de Thasos. »

Œdipe entendit un récipient plonger dans ce qui devait être un cratère.

« Je l'aromatise moi-même à la rose, à la violette, ou au myrte. Celui-ci, c'est le myrte. Pour sa conservation, j'y fais macérer quelques écorces de pin, mais l'arôme des fleurs fait oublier l'amertume de la résine.

— Je viens apprendre de toi l'amertume des résines, Tirésias.

— Dans ce cas, c'est du vin de Tyr qu'il nous faudrait. Car les fils de Cadmos sont originaires des lointains rivages du mont Liban. Mais vois comme il est dans la nature de ce peuple d'être oublieux ! Après l'enlèvement de sa fille Europe, Agénor, qui régnait à Tyr, envoya ses fils Cadmos, Phoenix et Cilix à sa recherche. Après quelques tribulations infructueuses, que crois-tu que firent ces jeunes gens, qui adoraient pourtant leur sœur ? Ils ont oublié, purement et simplement, l'objet de leur mission ! Ils l'ont oubliée, elle ! Et ils ont aussi oublié des hommes partout où ils sont passés : à Théra, en Cilicie, à Samothrace, à Rhodes, en Phénicie, en Thrace ! Peuple essaimeur, peuple nomade, peuple errant… Cadmos lui-même, qui a fondé Thèbes en revenant de consulter l'oracle de Delphes…

— C'est en s'y rendant que Laïos a trouvé la mort…

— …Cadmos lui-même, après un règne prospère, abdique un beau jour en faveur de son petit-fils Penthée. Sans aucune explication – sinon l'attirance du voyage et de l'oubli. On retrouve sa trace, quelques années plus tard, en compagnie de sa femme Harmonie, du côté de l'Illyrie !

Le vin rendait Tirésias volubile.

— N'est-il pas délicieux, mon petit breuvage ?

— Je t'emploierais volontiers comme échanson.

Tirésias eut un petit rire.

— Jocaste s'y opposerait.

— D'où vient cette inimitié entre vous ?

— Les femmes ne me portent pas dans leur cœur. Elles ne m'ont jamais pardonné.

— On dit que ce serait par leur faute que tu as perdu la vue ? Pour avoir surpris un jour la nudité d'Athéna, qui se baignait dans une fontaine en compagnie de ta mère ?

— Oui, c'est ce qu'on raconte ! On fabule beaucoup, sur moi… C'est une façon pittoresque de dire combien j'ai partagé l'intimité des femmes… Les fautes de ma jeunesse sont une riche pâture pour les faiseurs d'histoires. Et on colporte des versions plus explicites encore ! Ils sont inépuisables, nos compatriotes !

Œdipe songeait : « Toi non plus, tu n'es pas grec pour rien ! »

— Selon certains, continuait Tirésias, j'aurais été changé en femme pendant sept ans pour avoir dérangé deux serpents en train de s'accoupler, sur le mont Hélicon. Cette mésaventure m'ayant procuré une connaissance exceptionnelle des deux côtés de la question, Zeus et Héra eux-mêmes seraient venus un jour me demander d'arbitrer une querelle. Il s'agissait de trancher sur le plaisir dans l'amour : qui, des deux sexes, en éprouve le plus ? Qu'aurais-tu répondu, toi ?

— Les femmes, il me semble.

— Bien entendu, comme tout le monde ! Zeus y compris ! En vertu du plaisir qu'on prend à supposer plus de plaisir chez l'autre. Et parce qu'on jouit davantage à être désiré qu'à désirer. Et que tout le prix de l'amour, ce n'est pas d'aimer, mais de l'être.

— On imagine la fureur d'Héra !

— Elle était hors d'elle, la jalouse Héra ! Il faut dire que je n'aurais pas mesuré mes effets... J'aurais répondu : si la volupté d'amour se compose de dix parties, la femme en parcourt neuf pendant que l'homme n'en éprouve qu'une... Et j'avoue que je suis assez d'accord avec moi. Sur ce point, je souscris aux inventions de mes interprètes. C'est une chance : autant être puni pour une cause à laquelle on tient ! Car j'y ai perdu mes deux yeux, tout de même...

Les frontières entre la fable et la réalité avaient tendance à se brouiller. Œdipe sentait la tête lui tourner. L'effet conjugué du vin, des parfums, de l'obscurité...

— Héra a sombré dans l'une des plus effroyables colères de son orageuse carrière. Suspecte, cette colère... Très suspecte... En se trahissant, Héra a trahi tout son sexe. Comme si l'exagération de ma réponse avait fait voler en éclats un secret immémorial ! Comme si j'avais attenté à un ordre sacré en osant prétendre qu'entre les jouissances de la femme et de l'homme, la disproportion interdisait toute comparaison. Comme si la volupté féminine n'avait pas le droit d'être visitée par le langage des hommes. Comme si toute la gent féminine s'était vue soudain violée dans son intimité la plus indicible…

— Aveuglé pour avoir dévoilé la vérité ! C'est un salaire inique, Tirésias.

— Oh ! mais je n'ai pas désarmé.

Œdipe entendit le vieil homme boire, s'essuyer la bouche, et reprendre à mots comptés :

— Vois-tu, Œdipe, je suis de la race des endurants. Je suis un homme des lointains. J'ai attendu l'heure. Et l'occasion s'est présentée, sous le règne du petit-fils de Cadmos. Les Thébains sont volontiers crédules. À cette époque-là, ils avaient la passion des cultes orientaux, ils adoptaient les croyances et les superstitions les plus ésotériques, du moment qu'elles leur arrivaient d'Asie. C'était une mode comme une autre.

— N'ont-il pas tenté de faire de moi un dieu ?

— Faut-il qu'ils soient niais !

— La crédulité est ton fonds de commerce, Tirésias…

Une douce ébriété aiguisait la vivacité des propos. Sans l'heureuse humeur du vin, ils auraient semblé un rien venimeux. Tirésias remplit une nouvelle fois les deux coupes.

— Le roi Penthée traquait ces hérésies. Dans le cortège de ces nouveaux dieux, j'ai reconnu l'ancienne figure de Dionysos, qui nous revenait après un long périple à travers l'Orient. J'ai conseillé à Penthée de légitimer son culte. Alors, tout est devenu prétexte à bacchanales. Tu connais les excès auxquels elles donnent lieu une fois par an. Lorsque rien n'en limitait la célébration, on a vu de quoi le sexe féminin était capable ! Dès la tombée de la nuit, les femmes partaient dans les bois voisins faire leurs dévotions… Épouvantés, les hommes de Thèbes ont découvert, chez leurs charmantes compagnes, ce qu'Héra avait en vain tenté de réprimer : la violence de leurs appétits, la brutalité bestiale de leur sensualité, la sauvagerie de leur lubricité ! Je n'ai cessé, depuis cette époque, de rendre grâce à Dionysos. Buvons à sa gloire !

Deux hommes que tout opposait se rencontraient dans l'esprit du vin et la célébration de sa divinité. Deux rois se parlaient sans se voir : l'un régnait sur le monde des apparences, l'autre sur celui de l'invisible. Deux voyants croisaient deux aveugles. L'un avait tout sans rien savoir, l'autre savait tout sans rien avoir.

Pourtant, la partie engagée n'était pas égale : l'obscurité perturbait Œdipe. Il désespérait de distinguer les traits de son interlocuteur. La dilution des formes et de l'espace l'angoissait. Et ne pouvoir compter sur sa propre apparence ajoutait à cette angoisse. Il s'entendait parler. Ses propres mots semblaient se détacher de lui-même, lourds d'une consistance inhabituelle. Il n'était plus que sa voix.

Alors Œdipe comprit que l'homme est peu fait pour l'abstraction.

Une idée lui traversa l'esprit. Lorsqu'ils interrogeaient un malfaiteur, les archontes s'ingéniaient, à l'aide de miroirs, à le déstabiliser par des jeux de lumière. À son retour, Œdipe leur suggérerait d'essayer plutôt l'obscurité totale.

Et puis, les histoires merveilleuses de ce vieillard achevaient de le troubler.

Il voulut réagir.

— Peut-être dis-tu vrai parce que tu échappes au pouvoir des femmes, Tirésias. Tu es mieux placé que nous pour percer leur vérité : leur beauté tyrannise les voyants. Mais je ne peux te donner entièrement raison… quand on a la chance d'être le mari de Jocaste…

— Ne t'y fie pas, Œdipe ! C'est la pire.

— Tu as trop bu, je crois.

— Souviens-toi : qui eût cru qu'Héra, la plus chaste d'entre les chastes…

— Oublie ta rancœur, Tirésias. Je ne supporterai pas que tu calomnies Jocaste : elle est ma vie !

— Ta vie ! Et quoi encore ? La reine de tes jours ? Surveille ton langage.

— Prends le conseil pour toi, vieux buveur vindicatif ! Ta hargne contre elle me donne à penser, tout à coup…

Œdipe avait jeté son visage en avant. Les deux hommes maintenant échangeaient leurs mots dans la même haleine.

— Jocaste doit en savoir trop long sur toi, vieillard. Seulement, elle, c'est la bonté. Par égard pour ton âge, ton infirmité et ton prestige, elle ne dira rien. Mais je saurai, moi, te faire parler !

— Je t'en ai déjà beaucoup dit. Tu as des oreilles pour entendre, et des yeux pour voir.

— Cesse de me parler comme à un enfant !

— Tu es un enfant qui n'est pas encore sorti des bras de sa mère.

— N'était ton âge, je saurais te faire taire !

— Me faire parler ou me faire taire ?... Il faudrait savoir ce que tu veux.

Tirésias tendit le bras dans la nuit.

— Une autre coupe ? Nous n'avons pas encore goûté la rose.

— Merci non. Tu as dû y faire mariner les épines.

Œdipe s'enlisait dans l'obscurité. Il se leva tout à coup. Il ne laisserait pas le devin creuser ce gouffre sous son être. Il ne boirait plus une goutte. Il n'écouterait plus un mot. Il allait partir. Mais il dirait, avant, ce qu'il lui fallait dire.

— Je comprends maintenant que tous les hommes te paraissent oublieux. Toi, tu n'oublies rien. Tu croupis dans le ressentiment. Tu puises ta science dans la fange puante d'un passé décomposé ! À pleines coupes ! Ces ténèbres sont un foyer d'infection. Tu corromps tout. Je vois dans ton vin, Tirésias ! Si tu refuses de parler, c'est par force majeure ! C'est que tu as trempé dans un sombre complot ! La mort de Laïos s'est décidée ici même ! Et si tu n'étais aveugle, je t'accuserais d'avoir assassiné Laïos de tes propres mains !

— Et moi, je vois que tu ne vois pas dans les ténèbres, Œdipe ! Elles sont propices à toutes les méprises… On croit prendre l'un, quand on prend l'autre ! Et si l'on croit attraper l'autre, c'est soi-même que l'on capture.

— Qu'est-ce que tu hulules encore, vieille chouette sinistre ?

— Je dis que je ne t'adresserai plus jamais la parole.

— Là où je vais t'envoyer quand j'aurai démasqué tes complices, tu en seras bien incapable !

— Un édit royal n'a-t-il pas interdit d'adresser la parole à l'assassin de Laïos ?

— Tu t'es noyé dans ton vin, vieillard Tu délires !

— Oui, pourquoi le cacher ? J'avais besoin du secours de Dionysos pour trouver la force de descendre en ta compagnie dans les profondeurs maudites de mon savoir. Et pour te révéler enfin que l'homme que tu recherches et que tu menaces de tes foudres est présent ici même ; que cet homme ne sait ni qui il est, ni d'où il vient, ni où il habite ; qu'on l'a cru étranger, mais qu'il se découvrira thébain de naissance ; qu'il est voué à la double malédiction de son père et de sa mère ; que toutes les insultes qu'il profère aujourd'hui se retourneront bientôt contre lui avec une violence décuplée ; que le Cithéron n'aura pas assez de vallées pour répercuter ses lamentables plaintes, lorsqu'il découvrira, mutilé, défiguré, aveuglé par l'horreur de la vérité, qu'il s'est monstrueusement uni à ceux de ses proches qu'il n'a pas monstrueusement assassinés…

— Et voici une crise d'exaltation apocalyptique ! Tu as raison sur un point, vieillard : Dionysos s'est emparé de toi. Mais ton ivresse ne te protègera pas de ma justice !

*

Dehors, on n'y voyait guère plus que dedans. Du moins respirait-on ! « … frère de ses enfants… amant de sa mère… meurtrier de… fils de sa propre... » Œdipe n'avait plus voulu entendre, mais les mots sonnaient encore à ses oreilles. Ils montaient autour de lui dans les vapeurs du vin. De l'air frais, enfin !

Oh ! Ce vin…

Chien ! Vipère !… Impénitent phraseur !… De l'air ! De l'air ! On étouffait, dans ce taudis !…

Quelle insolence!... Rien ne le fait taire!... Accuser son roi!... Tuer son roi et en accuser son roi!... Oh! ce vin... J'ai dû rêver... Jusqu'où peut-il aller?... J'aurais dû lui répondre que... Un malade!... Un malade dangereux!... Comme ces rues sont sales!... Pestilence!... Je suis dans un cauchemar, je vais me réveiller!... Oui, j'aurais dû lui répondre que... Et là, où est le chemin?... Prête-moi ton bâton, Tirésias!... De Thasos, as-tu dit, ton vin?... Avec toutes ces immondices par terre, je vais finir par glisser... Zeus lui-même serait venu le consulter?... La folie des grandeurs!... monstrueux cerveau!... Poubelle mythologique!... Holà!... ça glisse!... Un roi dans le caniveau... Où vais-je, maintenant?... J'ai tout compris, Tirésias! Veux-tu que je te dise?... Je n'aurais jamais cru qu'il fallait tant de portes pour faire une ville!... Toutes fermées... Que trament-ils, derrière?... Attends! Si je t'ai bien suivi, je me cherche moi-même? Œdipe enquête sur Œdipe?... Trouvaille!... Dormez, braves gens! Votre roi enquête!... Le roi boit! Le roi voit!... Tiens, mais c'est le temple d'Athéna?... La très-chère était nue... Il faut les empêcher de nuire! Le meurtre de Laïos, c'est lui, bien entendu!... Lui et ses complices!... Si je continue à traîner ici, ils y ajouteront le meurtre d'Œdipe... Pourquoi ne l'ai-je pas tué?... Non, Tirésias, Œdipe ne tue pas... Œdipe cherche la vérité. Œdipe rend la justice!

CHAPITRE IV

Les enfants princiers jouaient à l'ombre des platanes qui bordaient le fleuve Isménos.

« Arrête ! Tu lui fais mal, sauvage ! » cria Antigone.

Étéocle, le grand frère, avait immobilisé Polynice au sol et le rouait de coups. Polynice gémissait. Étéocle leva la tête, mais sans lâcher sa prise :

— Tu ne vois pas que je fais semblant ?

Antigone gronda.

— Tu ne sais pas jouer, Étéocle. Tu n'as jamais su. Lâche-le !

— Viens le délivrer !

Elle se précipita, suivie d'Hémon, le fils de Créon.

— Toi, fils de traître, ne m'approche pas !

Étéocle bondit, bouscula Hémon, et courut au loin. Puis, les mains en porte-voix :

— Je ne joue plus ! Tant pis pour vous, vous n'aurez plus de Sphinx !

Ainsi se terminaient les jeux entre les enfants d'Œdipe et ceux de Créon, lorsque Étéocle s'en mêlait. Surtout celui-là, le jeu de la Sphinx.

La fille aînée de Créon, la sage Mégarée, calmait les chamailleries.

— Eh bien, voilà Thèbes délivrée de la Sphinx, non ?

Hémon sauta de joie :

— Alors, je peux me marier avec Antigone ?

— Pas si vite, Hémon ! C'est tout ce qui t'intéresse, toi ! Mais qu'est-ce qu'on fait de Polynice ?

*

Depuis deux jours, Créon se heurtait à la porte obstinément close des appartements royaux. Il n'avait eu aucun écho de la rencontre entre Œdipe et Tirésias. Ce silence avivait son anxiété naturelle. Qu'avaient-ils bien pu se dire ? Il redoutait le roi autant que le devin.

Pour employer sa nervosité, il se rendait sans cesse au gymnase, où les éphèbes s'étonnèrent de son ardeur au pugilat et au pancrace. Il n'en fallut pas davantage pour éveiller la rumeur : une expédition militaire se préparait… les Barbares allaient déferler sur le pays…

Avant chaque exercice, Créon s'enduisait le corps d'huile d'olivier avec une application minutieuse. Comme s'il cherchait à se rendre insaisissable pour un affrontement qu'il redoutait.

Les relations entre les deux beaux-frères étaient apparemment cordiales. Créon savait gré à Œdipe d'avoir ressuscité Jocaste. Le roi avait rendu à cette sœur chérie un amour de la vie qu'elle avait perdu bien avant son veuvage. Œdipe, de son côté, appréciait la discrétion de Créon et sa compétence, deux qualités qui en faisaient l'un de ses plus sûrs conseillers.

Pourtant, il y avait loin entre cette estime mutuelle et la franche complicité. Créon ne pouvait oublier son grand dessein. Il prenait plaisir à évoquer ses moments d'exaltation, lorsqu'il s'imaginait jadis en sauveur de Thèbes.

Mais la catastrophe prévue ne s'était pas produite. Créon en avait conçu une frustration qu'il n'osait s'avouer, et qui lui interdisait de prendre part sans réserve au bonheur général. Le sentiment de sa fragilité ne le quittait jamais...

Au troisième jour, Œdipe le reçut enfin.

Bien qu'accueilli dans les appartements royaux, Créon fut d'abord traité avec la même distance protocolaire que pour une audience officielle dans la salle d'honneur.

— On me dit que vous suivez une préparation physique intensive. C'est aller au-devant de mes vœux, Créon. Et j'y vois la marque de votre dévouement. Vous allez avoir besoin de vos forces, en effet.

Le roi se tut.

Créon ne put s'empêcher de penser : « Il avive mon attente, sciemment. »

— Vous connaissez les difficultés de notre industrie dues à l'incertitude de notre approvisionnement en étain. Notre manufacture de bronze est arrêtée depuis plusieurs mois. Il n'est plus possible de compter sur l'étain du Pont-Euxin. Il faut nous ouvrir une nouvelle route, Créon.

« L'étain ? » pensa Créon.

— On m'affirme que, sur les côtes ligures et ibères, certains comptoirs phéniciens regorgent d'étain, acheminé d'on ne sait quelles contrées septentrionales. Il nous le faut.

« L'étain... » Créon n'en revenait pas.

Le regard du roi était clair, pourtant. Et sa parole franche.

— Vous prendrez la tête d'une expédition. Vous partirez demain pour Aulis, afin de préparer votre embarquement.

Le roi eut un sourire.

— Thèbes vous doit beaucoup, Créon. Je ne doute pas de votre capacité à vous procurer pour elle tout l'étain de la terre. Le chemin sera long, et périlleux.

Créon lui rendit un demi-sourire.

— Faut-il l'avouer ? Je ne m'attendais pas à mériter semblable honneur.

— Je ne peux confier pareille mission qu'à un serviteur au-dessus de tout soupçon.

— Dois-je remercier Votre Majesté de m'éloigner de Thèbes en un temps où la mort y rôde partout ?

— La bienveillance a inspiré ma décision, en effet.

« Allons, se dit Créon, allons à la vérité, puisqu'il le veut. »

— Cette bienveillance ne porterait-elle pas un nom, celui de Tirésias ?

— Seriez-vous devin ? On ne peut rien vous cacher…

— Ma sœur m'avait bien dit de me méfier !

— Jocaste avait tort. Tirésias est un excellent conteur. Rien d'autre.

Créon ne retint plus sa rage.

— Quelles inventions démoniaques… ?

Œdipe leva la main, comme on jure.

— Rien ! Rien que des histoires édifiantes, vous dis-je ! Il m'a raconté, par exemple, que lorsque Cadmos est arrivé ici pour y fonder Thèbes, il a dû combattre et tuer un terrible dragon qui montait la garde devant la source Dircé. Athéna lui a conseillé de semer dans la terre de la future cité les dents du dragon mort. Des hommes tout armés en ont aussitôt poussé par centaines, des hommes effrayants, qui le menaçaient. Tels sont les premiers fruits de votre terroir, Créon ! Oui, tels furent les premiers Thébains, vos ancêtres, ne vous en déplaise.

— Quelles vérités peut-on tirer de ces puérilités ?

— Pour se sauver, continua le roi comme s'il n'avait pas entendu, Cadmos jeta des pierres au milieu de ces guerriers. Ne voyant pas qui les visait, ces pacifiques créatures se sont accusées les unes les autres, et se sont entretuées. Épouvantable carnage! Férocité hallucinante! Cinq seulement ont survécu. Les plus forts. Ah! Ce ne sont pas des tendres, vos ancêtres!

— Je ne vois pas où ce récit nous mène.

— Ce n'est pas tout... Ce dragon tué par Cadmos, pouvez-vous me dire qui l'avait placé là?

Créon eut un moment d'hésitation.

— Arès?

— Oui, Arès! Le dieu de la guerre! Et pour payer le meurtre du dragon, à quoi Cadmos a-t-il été condamné?

— À servir pendant huit ans comme esclave, si ma mémoire est bonne.

— Comme esclave, Créon, oui. Le premier roi de Thèbes, serviteur du dieu de la guerre! Et les Thébains obligés à rendre un culte particulier à ce même dieu, non loin de l'antique source... Instructifs, ces aimables souvenirs, non?

— On peut faire dire ce qu'on veut à notre mythologie. Ce petit jeu est indigne, et vous le savez.

Créon s'efforçait de faire face. Mais il voyait s'amonceler les nuages et redoutait l'instant où ils allaient crever.

La voix d'Œdipe se fit rêveuse :

— Les esprits forts disent la même chose des oracles, Créon, prenez-y garde…

Puis, le roi hocha la tête.

— Reste que je préférerais régner sur un peuple ayant pour ancêtres de paisibles bouviers et d'aimables bergères… Allons ! Faut-il parler plus clairement encore ? J'ai l'impression, oui, l'impression très nette d'avoir été longuement trompé. J'ai cru gouverner un peuple épris de paix : j'apprends qu'il s'abreuve de légendes belliqueuses et qu'il se rêve des ancêtres sanguinaires ! J'ai cru travailler à son bonheur en favorisant la concorde et en fondant le civisme sur la bienveillance : je découvre une histoire enracinée dans la guerre civile, et le souvenir complaisamment entretenu d'une nation née les armes à la main, pour les retourner aussitôt contre elle-même ! Voilà pour la base. Et que trouve-t-on au sommet ? L'adoration rendue à la divinité de la guerre ! Je suis victime d'un malentendu vertigineux… métaphysique.

Pour un temps, Œdipe et Créon se rejoignirent dans un même silence. « Quel rapport avec l'assassinat de Laïos ? » se demandait Créon.

— Vous ne dites plus rien ? Sans doute avez-vous envie de me demander : et le meurtre de Laïos, qu'a-t-il à voir avec ces légendes ? J'y arrive, Créon, j'y arrive ! Le meurtre de Laïos, j'en ai acquis la conviction, n'est pas un accident. C'est un destin. Un peuple qui vénère Arès est un peuple régicide en puissance. La mort de Laïos est la conclusion mathématique de toutes ces prémisses. J'ai toujours pensé que les mathématiques étaient le nerf de la guerre. La découverte du meurtrier est pure affaire de logique. Plus que des hommes, il y a derrière ce meurtre une machine. Infernale ou pas. Une machination, Créon.

— Je ne vous connaissais pas le goût des mathématiques.

Œdipe soupira.

— Incroyable, en effet, comme les Thébains me connaissent mal !

— L'inverse n'est pas moins vrai. Est-ce Tirésias qui vous a converti à cette discipline ?

— Tirésias est aussi peu doué pour la logique que les Thébains pour la paix. Non, je suis un autodidacte.

Un héraut vint annoncer que Presbytès sollicitait une audience. Œdipe estima que ce témoin pourrait être utile.

— La présence de Presbytès vous contrarie-t-elle ?

— Au contraire ! L'homme qui voit loin aidera peut-être à réparer les méfaits de celui qui ne voit pas…

— Qu'il entre donc !…

Avant l'arrivée de Presbytès, le roi dit encore :

— Peut-être, mon cher Créon, n'est-il pas besoin, dans cette affaire, d'un regard qui porte loin. Une bonne vue rapprochée devrait suffire.

Mais Presbytès venait d'entrer. Le roi lui fit bon accueil.

— Mon ami ! quelles nouvelles m'apportez-vous aujourd'hui ?

— Hélas, Majesté, ce sont les mêmes de jour en jour : les archontes sont débordés, les dénonciations ne cessent d'affluer…

Le roi eut le triste sourire de celui qui regrette d'avoir trop raison.

— Appréciez, Créon, le pacifisme de ce peuple… Ne vous troublez pas, Presbytès, continua-t-il, vous m'annoncez ce que j'attendais. C'est pourquoi j'ai décidé d'essayer, de mon côté, une autre méthode : la réflexion personnelle menée avec une rigueur toute mathématique. C'est ce dont j'entretenais justement Créon. La rapidité de mes progrès vous surprendra.

Alors le roi se transforma complaisamment en pédagogue.

— J'entreprends ma quête en recourant au théorème du poisson soluble : tout individu ayant trempé dans un meurtre reçoit de haut en bas une poussée tendant à lui faire diluer le poisson. J'expérimente : l'enquête consécutive à la mort de Laïos a été bâclée. Bien avant ma propre arrivée à Thèbes, elle avait déjà disparu de l'ordre du jour. Quelqu'un avait intérêt à favoriser ce sabotage. Quelqu'un qui avait du pouvoir. Quelqu'un de suffisamment habile pour détourner l'attention des Thébains en leur contant des fables à propos d'un monstre épouvantable qui ravageait la région…

— Mais enfin, Majesté, interrompit Presbytès, la Sphinx n'était pas une fable ! Vous êtes mieux placé que quiconque pour en témoigner, vous êtes le seul à l'avoir vue !

— Je l'ai vue, oui… cette Sphinx que le régent déclarait effroyable – n'est-ce pas, Créon ?

Créon se raidit.

— Je rapportais ce qu'on en disait, avec la caution de Tirésias.

— Tirésias ! murmura le roi… le meilleur des alliés… évidemment !

Puis, cette question, inattendue :

— Pourquoi me dissuadiez-vous d'affronter la Sphinx, Créon ?

Créon eut un sursaut :

— Vous ai-je retenu ?

— À demi-mot, Créon. Pourquoi ?

— Majesté… vous étiez… si faible… vous faisiez peine à voir.

— Personne ne vous accordait la moindre chance ! confirma Presbytès.

— J'avais quelques scrupules à vous envoyer au massacre, renchérit Créon.

Le roi fit mine de remercier.

— Noble sentiment, en effet…

Il n'en continua pas moins ses surprenantes questions.

— Dites-moi encore, Créon. Si ma mémoire ne me trahit pas, il me semble qu'en « m'envoyant au massacre », comme vous dites, vous avez négligé de me préciser que le trône de Thèbes serait la récompense de ma victoire ?

— Vous ne m'en avez pas laissé le temps, Majesté.

— Ah bon ! C'était donc ça !

— Votre résolution était telle !

— Je ne suis pourtant pas de la trempe des héros...

— Oh ! Majesté ! s'exclama Presbytès.

— Les épouvantables descriptions que le régent me faisait de la Sphinx ne m'avaient pas convaincu...

Il se tut, comme on retourne en soi.

— Bonne intuition, murmura-t-il. D'ailleurs, mon intuition ne m'a jamais trompé...

— Que voulez-vous dire ?

La question s'échappa de Créon et de Presbytès en même temps.

— Je veux dire que si tous les monstres qui peuplent le royaume souterrain d'Hadès sont aussi infernaux que cette Sphinx, j'envisage avec sérénité mon avenir de mortel. D'abord, elle était belle... Mais alors, d'une beauté... une beauté...

— On le disait, oui, coupa Créon.

— Mais vous, vous ne me l'avez pas dit.

Il y eut un nouveau silence.

— Un oubli supplémentaire, Créon, et que je m'explique mal. Parmi les dangers qui nous menacent, le premier n'est-il pas la beauté ? Ne faut-il pas se préparer à celui-ci plus qu'à tout autre ? Mais laissons cela... S'il fallait dresser le compte de vos omissions bien intentionnées…

Œdipe raconta comment, s'attendant à affronter une créature assoiffée de sang, il s'était trouvé face à une jeune et belle femme, entichée de mots d'esprit, d'énigmes et de calembours. Tout ce qu'il appréciait lui-même. Ils avaient galamment conversé. Elle se flattait d'être imbattable au jeu des devinettes. Elle ne pouvait mieux tomber. Il releva le défi. Elle lui avait demandé : « Quelles sont les deux sœurs dont l'une engendre l'autre qui est derechef engendrée par la première ? – La journée et la nuit » avait-il répondu aussitôt. Elle avait alors corsé la difficulté : « Il marche le matin à quatre pattes, le midi à deux, et le soir à trois pattes : qui est-ce ? » Comme elle l'émouvait cette fille splendide qui le provoquait sur son terrain favori ! Le jeu était d'un érotisme rare. Son esprit travaillait avec la rapidité d'Hermès. Voyons… Bébé… adulte… vieillard bancal… Eurêka ! « C'est l'homme ! »

Œdipe avait espéré que cette joyeuse victoire lui gagnerait au moins le cœur de la belle. Mais il était trop jeune dans l'art de séduire. Ce fut le contraire qui se produisit.

Dépitée, la splendide créature considéra avec mépris ce grand niais qui n'était capable que de résoudre une devinette. Et, de rage, elle disparut !

— Le voilà, le glorieux combat contre le monstre effroyable ! Le sublime affrontement contre la terreur de Thèbes ! Un jeu d'esprits. Une séance de devinettes !

Presbytès et Créon en restèrent muets.

Œdipe exploita l'avantage.

— Mais revenons à la méthode logique, si vous le voulez bien, et prolongeons cette chaîne de raisons. Deuxième théorème : théorème du pouvoir. Tout individu ayant goûté du pouvoir, reçoit de bas en haut une tentation qui le pousse à y persévérer. L'histoire de Thèbes ne manque pas d'exemples pour illustrer cette proposition. Pardonnez mon enthousiasme de néophyte, mais depuis que je fréquente Tirésias, votre passé m'est un jardin…

« Il m'exaspère, avec ses excursions mythologiques, pensait Créon. Quel spécimen va-t-il encore cueillir dans notre mémoire ? Nysos ? Le Nysos de la légende dionysienne ?… Oui, je le vois venir ! Nysos à qui Dionysos avait confié le trône de Thèbes pendant son voyage aux Indes, et qui n'a pas voulu le lui rendre à son retour ? Dionysos a mis trois ans à le déloger ! »

À son tour, Créon explorait la mémoire de Thèbes…

« Quoi d'autre, encore… Lycos ?… Le cas exemplaire du régent abusif, celui-là !… “À la mort de Labdacos, Laïos encore trop jeune pour régner, la régence fut confiée à Lycos, fils d'Hyriée…” Oui, c'est ainsi que commençait la belle histoire d'Antiope, que nous racontait notre grand-père Oclasos… l'histoire préférée de Jocaste !… »

Créon revint à lui :

« Bon, se dit-il, il est clair qu'on est en train de me préparer une place de choix dans cette galerie des régents qui s'incrustent… Tu fais fausse route, mathématicien, je n'aurai pas de mal à te le prouver… Mais tout de même… Ta sagacité m'intrigue… Tu te trompes et tu touches pourtant la vérité… Comment m'as-tu deviné ? Me suis-je trahi ?… »

— Majesté, dit-il enfin, votre logique est aussi séduisante que votre rhétorique. Mais comme l'une et l'autre tendent à m'expédier au-delà des mers, je ne peux me taire davantage.

J'ai longtemps hésité à comprendre la nature du procès que vous m'intentez, tant il me paraissait invraisemblable. Il me serait facile de déjouer chacun de vos soupçons. Mais accordons-nous sur un point : n'est-ce pas la motivation qui fait le conspirateur ?

— Exact, c'est mon second théorème, celui du pouvoir.

— De quel pouvoir puis-je rêver que je n'aie pas ? Ma position est incomparablement plus confortable que la vôtre. Beau-frère du roi, je bénéficie de son prestige, je profite de son autorité, je tire avantage de son empire absolu. Et cela sans les charges, les contraintes ou les dangers liés à l'exercice du pouvoir. Je suis riche, ma femme Eurydice et mes enfants font le bonheur de mes jours. J'ai l'honneur d'habiter la demeure construite jadis par notre illustre Agamède pour abriter les amours d'Alcmène et d'Amphitryon : on dit que c'est la plus belle de la ville. Naguère encore, je m'honorais de votre confiance. Qui serait assez insensé pour mettre en péril une pareille situation ?

La réponse du roi tomba, mot après mot.

— Le même qui fut assez insensé pour faire accuser son roi par Tirésias !

— J'ignore tout de ce qui s'est dit entre vous !

— Décidément, Créon, tu ignores tout de tout. Piètre défense ! Tu ignorais tout de la Sphinx et tu ignores tout de Tirésias. Non, Créon... non ! Voici la vérité : tu t'es entendu avec Tirésias pour m'enivrer... Tu calculais que, dans la confusion dionysiaque, il parviendrait à me faire endosser quelque responsabilité dans le meurtre de Laïos ! Que, cherchant la vérité, j'accepterais celle des chimères. Seulement, Tirésias a mal joué son rôle. Il a trop bu, lui aussi. Il a trop forcé sur le monstrueux, l'inimaginable... Pas commode d'avoir un Tirésias pour acolyte ! Un vieux fou de son acabit, ça se maîtrise mal... Et ça finit un jour ou l'autre par vous envoyer bourlinguer sur des mers hostiles !

Presbytès était abasourdi par ce qu'il entendait. Il voulait intervenir en faveur de Créon. Mais la colère du roi le pétrifiait. Et la défense du régent lui semblait si faible, si faible...

Créon avait vu l'orage arriver, mais n'avait pas pu se mettre à couvert. Œdipe avait atteint la partie de sa conscience qu'il croyait la plus inaccessible. Les flèches du roi étaient inoffensives, certes, mais l'homme qu'elles perçaient trop fragile et la cible trop sensible. La fureur de Créon contre Tirésias achevait de le paralyser. Devin maudit ! Maudit devin ! Il n'arrivait pas à se défendre. Tout ce qu'il dirait désormais se retournerait contre lui. Son innocence était coupable !

Il lui fallait du temps. Du temps pour sa défense.

On annonça l'arrivée de Jocaste.

Créon en profita pour demander l'autorisation de se retirer.

Œdipe la lui accorda. À sa façon.

— Allez, Créon. Et mettez-vous en route. Thèbes a besoin d'étain.

Quel mépris dans ce sourire d'adieu !

— Vous organiserez votre défense en mer.

*

Les enfants jouaient.

Pendant qu'Orphée, le dos tourné, chantait trois notes, les Eurydices avaient le droit d'avancer vers le but. Mais dès qu'Orphée se retournait, les Eurydices devaient se pétrifier. Celui qui était surpris en train de bouger encore redescendait aux Enfers.

« Aux enfers, Polynice ! » lança Étéocle, qui faisait Orphée.

— Encore ?

— As-tu bougé, oui ou non ? Aux enfers !

Polynice redescendit aux enfers.

Mais le petit Hémon, lui, était invincible à ce jeu. Contrairement aux autres, il était économe de ses mouvements. Un chat. Le chat prit la place d'Étéocle.

« Orphée, c'est moi, maintenant ! »

Le jeu reprit.

Les Eurydices avançaient, avançaient, dans le dos d'Hémon... Ismène, la dernière-née d'Œdipe et de Jocaste, avait quatre ans et la bougeotte. Elle ne tenait pas l'équilibre. Hémon fermait les yeux. Les autres, bons joueurs, acceptaient. La guerre éclata quand Antigone se fit surprendre entre deux pas, et qu'Hémon fit semblant de ne pas l'avoir vue.

« Triché ! crièrent ses cousins. Tu n'arrêtes pas de tricher avec Antigone. Tu veux la faire gagner ! Mégarée, dis quelque chose ! Antigone a bougé ! Tu l'as vue, non ? »

Mégarée doutait :

— Il arrive qu'on ne voie pas ce qu'on a sous les yeux...

Hurlements :

— Tu protèges Hémon !
— C'est injuste !
— On arrête de jouer !
Alors Hémon explosa.
— Non, c'est moi qui arrête ! J'en ai assez ! Je m'en vais ! Vous êtes toujours en train de vous battre ou de hurler. Avec vous, le jeu, c'est la guerre. Vous verrez ! Vous verrez quand ce sera à mon père de faire le roi !

CHAPITRE V

Devant le temple d'Artémis Argennis qui surplombait le lac, Jocaste avait retiré un à un tous ses bijoux et délacé ses sandales. Elle avait dénoué sa ceinture, et sa tunique avait glissé à ses pieds. Elle abandonnait là ses parures, comme une offrande à la déesse de la nature et de la liberté.

Œdipe la regarda descendre, méditatif. Depuis qu'il avait quitté Thèbes, le matin même, le couple royal n'avait pas échangé un mot. Œdipe s'était laissé entraîner contre son gré dans cette promenade, qu'il jugeait indécente.

Jocaste avait habituellement si peu d'exigences qu'Œdipe ne lui refusait rien, jamais.

La veille, elle lui avait imposé ce caprice.

Le roi regardait Jocaste.

« Deux prières en un seul jour », songeait-il.

« C'est beaucoup. » Elle atteignait la rive du lac. Il eut un soupçon. « Deux prières... c'est trop. »

Elle n'était pas arrivée au bon moment, la veille.

« Intuition de femme, sans doute. »

Contrarié, Œdipe avait laissé Presbytès lui résumer la scène dont il venait d'être le témoin.

« Banni ? s'était écriée Jocaste. Sans preuves ? Exilé par le soupçon ? Mon propre frère ! »

La colère de la reine, à présent... Presbytès avait jugé prudent de s'éclipser à son tour.

« Ce n'est pas avec un faisceau de présomptions que l'on fait un coupable ! Thèbes a trop souffert d'une pareille justice ! Justice de ragots ! Justice de délateurs ! Justice du murmure ! Cette justice infecte les rues de Thèbes ! Le père exilerait le fils ! Le frère condamnerait le frère ! Thèbes attend autre chose d'Œdipe ! Thèbes attend d'Œdipe une justice juste ! »

Œdipe avait cédé.

— Soit. Qu'il reste, mais que je ne le voie plus.

Alors la sœur offensée avait fait place à l'épouse miséricordieuse :

— Notre cité est prise dans la tourmente.

De terribles responsabilités accablent le roi. Je vois bien, mon ami, que tu es harassé, que chaque jour le poids est plus lourd. Je voudrais te soulager, mais nous ne nous voyons plus. Souviens-toi de nos confiances passées. Tu ne dédaignais pas le secours de ta femme, alors. Tu as besoin d'elle, aujourd'hui, mais tu ne le sais pas. Le salut habite auprès de toi, Œdipe, dans ton intimité. Ton salut t'aime…

Œdipe se taisait.

Il douta du remède conseillé.

Jocaste proposait une escapade jusqu'au lac Copaïs.

— Nous irons seuls, sans cour, sans famille et sans escorte.

« Sans escorte… pensa Œdipe… pure folie en terre régicide ! »

— Nous ouvrirons toutes les portes. Nous délivrerons nos cœurs. Nous parlerons si nous avons envie de parler. Nous bénirons notre silence, s'il t'apporte la paix.

Jocaste était Jocaste. Pour la seconde fois, Œdipe avait cédé.

Elle atteignit l'eau translucide. Lorsque son corps y pénétra, le lac entier l'enveloppa comme une soie de lin.

Du haut de ce promontoire, toute la beauté du monde se mettait en place. Œdipe méditait. Peu à peu, il contempla. Dans le lac, le corps de Jocaste faisait une embarcation blanche qui invitait au voyage. Œdipe s'ouvrit à l'espace. Il descendit vers le rivage.

— De là-haut, j'ai vu ton corps se dissoudre dans l'eau.

— Et moi le tien se déployer dans le ciel… léger comme le temple, ajouta-t-elle.

— Pourquoi est-il dédié à Artémis Argennis ?

— Agamemnon l'a fait construire jadis, quand, bloqué dans le port d'Aulis, au commandement de l'armée grecque, il s'impatientait d'appareiller pour Troie. Harcelé, il avait fini par perdre la tête… Il est dangereux que trop de responsabilités pèsent sur un seul homme…

— Je sais…

— Un jour, Agamemnon aperçut un jeune homme d'une grande beauté qui se baignait dans le Céphise. Un violent désir le jeta vers lui. Le jeune homme – il s'appelait Argennos – prit la fuite, épouvanté. Une poursuite frénétique s'engage… À bout de forces, Argennos arrive ici même et se jette dans le lac, où il se noie. Agamemnon reprend ses esprits, et considère l'horreur de sa faute. Il ordonne des funérailles magnifiques, et fait construire ce temple à la mémoire de la victime de ses appétits déréglés.

— Jocaste, Jocaste, l'air nous enivre, je crois… c'est une histoire du futur que tu nous racontes là !

— Mais vraie ! Plus vraie que les futurs de Tirésias !

Leur rire sonna sur les rives du lac.

Puis s'éteignit doucement. Œdipe contemplait les formes ondoyantes de Jocaste. Lac aphrodisiaque… corps glorieux de la femme, épouse et mère…

— Comme tu es belle ! La femme est le port et le voyage… Je ne peux imaginer que des hommes soient assez déréglés pour prétendre connaître l'amour loin d'elle…

— Hélas, que dis-tu là !

Jocaste s'était brusquement détournée. Sa chevelure flottait derrière elle, déployée. Le désir d'Œdipe restait en suspens. Il allait souvent avec sa curiosité. Et sa curiosité venait d'être embrasée par l'exclamation de sa femme. Quelle mélancolie dans sa voix, soudain !

— Jocaste ?

Jocaste sut qu'elle ne pourrait plus éluder les questions.

Dos tourné, elle parla, les yeux vers l'autre rive.

— À la naissance d'Étéocle, tu t'es étonné de la stérilité de mon union avec Laïos. Te souviens-tu ? Je ne t'avais pas répondu, par égard pour la mémoire de cet homme que j'ai admiré, et qui fut bon pour moi. Mais il est temps, aujourd'hui, que tu connaisses mieux son histoire. À la mort de son père Labdacos, Laïos était trop jeune pour monter sur le trône. La régence fut assumée...

— Par Lycos, je le sais, qui prit trop de goût au pouvoir...

— Oui, et qui chassa le jeune héritier.

— Laïos a trouvé refuge à Pisa, près d'Olympie.

— Oui... Et c'est de là qu'advint notre malheur. À Pisa, le roi Pélops accueillit l'orphelin de sang royal et l'éleva comme son propre fils. Or, Pélops entretenait un grand dessein : rassembler à Olympie les plus beaux athlètes des cités grecques, et les faire rivaliser en des concours pacifiques qu'on nommerait Jeux olympiques. Hélas, cette idée généreuse est à l'origine d'un terrible fléau dont Laïos s'est trouvé le malheureux instrument...

— Quelle étrange fatalité s'attache aux plus nobles entreprises des hommes…

— De son mariage avec la très désirable Hippodamie, Pélops avait eu de nombreux enfants. Le plus séduisant, Chrysippe, était le compagnon favori de Laïos… Les Jeux olympiques n'avaient lieu que tous les quatre ans, mais la cité de Pisa ne vivait que pour leur préparation. La beauté du corps masculin y était prisée et célébrée plus que partout en Grèce. Ce fut dans cette perpétuelle exaltation des corps que naquirent parmi les hommes les premières relations contre nature. Laïos a aimé Chrysippe. Le scandale a éclaté. Laïos a tenté d'enlever son amant. La colère d'Héra, protectrice des amours légitimes, s'est déchaînée. Chrysippe s'est suicidé. Laïos fut banni par Pélops, mais emporta la malédiction divine sur lui et sur sa descendance.

Le lac frissonna sous une brise.

— J'ignorais tout de cette histoire lorsque je devins la femme de Laïos, pour la première et la dernière fois. Après cette nuit de bonheur, une longue suite de nuits trop paisibles m'agitèrent. La tranquillité de l'esprit s'accommode mal du repos de la chair. J'ai cru que c'était par ma faute que mon mari était atteint de la maladie de la langueur. Je m'en suis accusée devant lui. C'est alors qu'il m'a avoué ses fautes passées. Dans ma désolation, il me restait tout de même une chance : j'étais enceinte. Mais à la naissance de notre fils, Laïos s'est souvenu de la malédiction d'Héra. Il est allé consulter Tirésias. Que les Furies emportent ce devin de malheur ! « Ton destin est de mourir par la main de cet enfant, qui entrera dans la couche de sa mère. S'ensuivra une longue chaîne de malheurs ! » Voilà l'oracle que Laïos reçut de cet imposteur.

— Où est l'imposture ?

— Laïos n'est-il pas mort ? Et qui l'a tué ?

— C'est ce que nous cherchons.

— Certainement pas son fils, et c'est ce qui importe ! Laïos a été assassiné par des bandits : c'est un fait établi. Quant à son fils, Laïos a pris d'affreuses précautions pour faire mentir l'oracle. Trois jours après sa naissance, l'enfant m'a été arraché, sans égard pour ma douleur maternelle. On lui a cruellement percé les chevilles pour les ligoter, et c'est ainsi, pendu par les pieds, que l'innocent, à l'agonie, fut remis à un berger chargé de le faire disparaître sur le mont Cithéron. Mon fils, mon enfant, mon unique consolation… la proie des bêtes !

Jocaste s'était retournée et fixait Œdipe. Il vit dans ses yeux un éclat qu'il ne leur connaissait pas.

— Après cela, comment accorder la moindre valeur aux élucubrations de Tirésias et de tous ces suppôts de l'horreur ? C'est à ces fantaisies divinatoires qu'on a sacrifié mon enfant. Faut-il maintenant leur sacrifier aussi mon frère ? Et ensuite ? Mon mari, peut-être ?

— Ces souvenirs ont rouvert en toi une vieille blessure. Ne cède pas à la colère, reine. Ne prononce pas de paroles impies.

— Qui est impie ? Une mère spoliée sans raison, qui n'a jamais manqué aux devoirs de la piété ? Ou ces parasites engraissés par la crédulité publique pour proférer des catastrophes ? Je n'ai jamais failli au respect des dieux ! Qu'on me laisse abominer leurs prétendus ministres !

— Je t'accorde que Tirésias est un être nuisible. Mais tous les devins ne le sont pas...

— C'est lui qui jouit de la plus grande autorité ! C'est lui que tu es allé consulter. C'est à cause de lui que tu suspectes aujourd'hui Créon, et que tu étais sur le point de le bannir de la cité. Ne t'ai-je pas convaincu de ses impostures ? Tout son savoir consiste à impressionner les imaginations en mêlant habilement les fables de son passé, les ténèbres de son repaire, et la compassion rendue à son grand âge et à son infirmité. Quelle information sérieuse t'a-t-il apportée sur le meurtre de Laïos ? Des pressentiments ! Des coïncidences ! De la cuisine mythologique ! Or les faits sont clairs : le roi de Thèbes a été assassiné par une troupe de bandits, à une date précise, en un lieu déterminé, le carrefour des routes de Delphes et de Daulis, en Phocide ! Qu'as-tu appris de plus ?

Ce détail géographique fit tressaillir Œdipe.

Mais il désirait plus que tout apaiser cette femme, refermer ses meurtrissures. Il supportait mal, sur le visage de l'amour, les stigmates de la souffrance et de la haine. Dans l'horizon pur d'un soir d'été, on entend parfois les roulements lointains d'un improbable orage. L'amour avait fait Jocaste reine d'une insoupçonnable journée d'été. Œdipe ne voulait rien entendre de ces roulements lointains.

Jocaste, maintenant, se taisait. Elle renversa la tête et disparut sous l'eau. Œdipe se laissa glisser à son tour. Ils reparurent, peau contre peau. On n'entendit plus que le clapotis de leurs caresses.

— Mon Prince, chuchota-t-elle, il est temps, livre-toi !

Œdipe s'épancha.

— Je suis né à Corinthe, du roi Polybe et de la reine Mérope, dont je suis l'unique enfant. J'aimais tendrement mes parents…

Il sentait les caresses de Jocaste couler le long de son corps.

… dont j'étais tendrement aimé. J'étais un dauphin choyé. Rien ne paraissait pouvoir menacer ce bonheur. Un jour, au cours d'un banquet, un soiffard me traite de fils putatif…

Comme happé par la spirale des aveux, il ne s'arrêterait plus.

… Cette insulte s'insinue profondément en moi. Je demande une explication à mes parents. Ils sont scandalisés. Mais l'idée ne me quitte plus. Je me rends à Delphes à leur insu… et là…

Jocaste frémissait.

… Une prédiction… une abomination… Tu t'uniras… à ta mère… et tu seras… l'assassin de… celui… qui t'a engendré…

Au centre du monde, il y avait maintenant ce couple chaviré.

L'étreinte a dérivé. Le silence était étale. Les dieux contemplaient.

Œdipe et Jocaste sont remontés vers le temple.

— Tu m'as raconté une étrange histoire, dit Jocaste, rêveuse.

— Cet oracle m'a terrorisé. J'ai décidé de quitter Corinthe, de ne plus jamais y retourner, de ne plus revoir mes parents. Je ne voulais pas offrir à Apollon la moindre tentation d'exécuter sa prédiction.

— C'est donc en revenant de Delphes que tu nous es arrivé ?

— Oui, et je veux te faire une confidence.

Mais il se tut.

— Donne, Œdipe, donne, répéta doucement Jocaste.

— Tu m'as dit tout à l'heure que la rixe qui avait causé la mort de Laïos s'est produite au carrefour des routes de Delphes et de Daulis, n'est-ce pas ? J'ignorais ce détail : il m'a fait trembler.

— Je ne voulais que t'apaiser.

— Tu parlais bien de cet embranchement, sur la route qu'on appelle la « Schistê Odos » ?

— Sur la « Schistê Odos », oui. Il n'y en a pas d'autre, à ma connaissance.

Œdipe offrit son visage au ciel.

— Ô Zeus! Qu'auras-tu fait de moi?

— D'où te viennent ces craintes soudaines?

— Je tremble de donner raison à certain oiseau de malheur...

— Achève, Œdipe, achève!

— Écoute : le passage est escarpé. La route est étroite. Je chemine seul, broyant de sombres pensées. Je songe à la tristesse que je vais causer à mon père, à ma mère, en disparaissant à jamais de leur vie. Je ne vois rien. Je n'entends rien. Soudain, je me trouve face à un héraut qui vient d'un pas rapide, précédant un large chariot à quatre roues. Il me crie de me garer. J'ai à peine le temps de reprendre mes esprits et de trouver un endroit pour laisser passer le convoi; le chariot fond déjà sur moi. Le cocher fait claquer son fouet, qui me cingle le visage. Les chevaux me bousculent. Arrivé à ma hauteur, l'homme qui se trouve sur le char me donne un coup de bâton : « La peste soit du vagabond! hurle-t-il. On ne t'a donc pas dit de disparaître de ma route, bâtard sans maître! » Bâtard? Encore! L'insulte m'embrase. J'empoigne mon épée, je saute sur le char, une furieuse mêlée s'ensuit. Les chevaux s'emballent, piétinent le héraut. Nous roulons dans la poussière. Le cocher bascule dans le ravin. Je frappe de tous côtés. Et je m'aperçois tout à coup que ce sont des corps sans vie sur lesquels je m'acharne. Je n'avais jamais donné la mort... Trois cadavres gisent à mes pieds. Le dernier membre de l'escorte, qui suivait le convoi à distance, a disparu. Le spectacle est désolant. Le silence m'accable. La panique m'emporte. Combien de temps ai-je couru ? Je ne puis le dire. Le lendemain, à la tombée de la nuit, je suis arrivé en vue de Thèbes...

— La coïncidence est troublante, en effet. Mais...

— À quoi ressemblait Laïos ?

— À toi. Non ! pardonne-moi... Il était grand, les cheveux blancs... Mais de quoi as-tu peur ?

— Si ce convoi est celui qui transportait Laïos, toutes les malédictions que j'ai moi-même proférées se retournent contre moi ! Il ne me reste plus qu'à m'enfuir au plus reculé de la barbarie, banni de Thèbes, interdit de Corinthe, dépouillé de tout ce que j'aime !

— Œdipe, Œdipe ! Comme tu es prompt à t'infliger de vains tourments !

— Ces coïncidences ne te troublent donc pas ?

— Nullement. Nous possédons un témoignage irréfutable sur les circonstances du drame : un rescapé atteste que le convoi fut attaqué par plusieurs bandits, et non par un homme seul !

— Qui était ce témoin ?

— Phorbas. Un vieux domestique, un fidèle d'entre les fidèles.

— Est-il encore en vie ?

— Je l'ignore.

— Où habite-t-il ?

— Avant l'accident, il vivait au palais. Mais la mort de son maître l'a bouleversé. Quand il a vu son trône occupé par un étranger, il m'a demandé de lui confier un troupeau, et de partir finir ses jours loin de la ville. Je n'avais aucune raison de refuser cette consolation à sa loyauté.

— Pourrions-nous retrouver sa trace ?

— Sur quelque pente du Cithéron, peut-être. Mais, s'il vit encore, il doit être bien âgé.

Ils étaient arrivés à l'entrée des katavothres. C'était un énorme chaos par lequel s'échappaient les eaux du lac Copaïs. Elles s'engouffraient sous terre dans un monstrueux fracas, et reparaissaient, calmées, quelques kilomètres plus loin, pour alimenter le lac Hylikè. C'était du moins ce qu'on pensait. Personne n'avait pu le prouver irréfutablement. Pourtant, les esprits les plus ingénieux s'étaient attaqués au mystère des katavothres. C'était comme un syllogisme dont on connaissait les prémisses et la conclusion, sans pouvoir en découvrir la mineure.

Le visage de Jocaste s'éclaira soudain.

— Je ne vois dans ce qui te tourmente que des raisons de nous réjouir !, s'exclama-t-elle.

Assourdissant bouillonnement des eaux ou songerie profonde : Œdipe ne l'entendit pas. La sauvage brutalité du spectacle l'avait pétrifié. Quelques mètres en amont, tout n'était que nymphes, aimables naïades et maternelles néréides. Ici, rugissantes Furies, Érinyes torrentueuses et Parques terrifiantes !

— On n'imagine pas autrement l'horreur du Styx, dit sombrement le roi.

— Oui… ici, le fleuve infernal né des mêmes eaux qui, là, offraient l'oubli paisible du Léthé. »

La terre engloutissait cette catastrophe éclatante. Quelques mètres plus loin, c'était de nouveau la certitude du sol et l'évidence de la substance. Mais l'esprit avait perdu le repos. L'imagination bouillonnait à son tour.

— Jocaste, il faut retrouver ce Phorbas !

— Inutile, les Anciens se souviennent de son témoignage.

— Il faut le retrouver ! Cet homme est mon repos !

— Alors ton repos est d'ores et déjà assuré, et plus que ton repos.

— Phorbas devra fournir un témoignage d'une force singulière pour combattre l'affreux effet de cette coïncidence.

— Son témoignage rejaillira sur ta gloire !

Œdipe s'immobilisa.

— Un regain de gloire ? Pour avoir terrassé, il y a dix ans, trois inconnus de triste rencontre ? Quelle gloire le roi de Thèbes y trouverait ?

— Réfléchis, roi de Thèbes ! N'est-il pas établi que Laïos fut tué par une bande de brigands ?

— C'est ce que je veux authentifier !

— Si la troupe que tu as croisée n'était pas l'escorte de Laïos, qu'était-elle ?

— Quelle importance ?

— Ecoute, Œdipe, écoute chaque mot !

Et la reine égrena ces mots un à un :

— Si, loin d'avoir été le meurtrier de Laïos, tu en avais été le vengeur ?

Les katavothres n'étaient maintenant plus qu'un souvenir. Le silence était rétabli.

— Veux-tu dire que les pauvres diables que j'ai laissés sans vie seraient… ?

— Étaient les assassins de Laïos, oui ! As-tu remarqué comme ils étaient pressés ?

— Rien ne serait arrivé s'ils m'avaient consenti un instant de patience.

— Ils fuyaient, Œdipe ! Leur crime accompli, ils fuyaient ! Ton arrivée les a dérangés ! Ils fuyaient !

— Un détail m'a toujours troublé, oui : que j'aie réussi, seul et sans expérience, à terrasser trois adversaires… Je me l'expliquerais mieux s'ils se remettaient tout juste d'un autre combat.

— Le destin te les a livrés affaiblis par leur forfait. Némésis a jeté les yeux sur un pèlerin solitaire et désespéré qui revenait de Delphes : elle en a fait son instrument pour punir un crime inique.

— Crois-tu que Phorbas se souviendra du nombre des assaillants ?

— Ils étaient quatre ! Phorbas l'a dit !

Le roi, maintenant, marchait à grands pas vers Thèbes. Le cœur battant, l'esprit clair.

« Justicier d'un régicide ! Œdipe ! Roi vengeur de roi ! »

*

L'escapade du couple royal devait rester secrète.

Elle fut vite éventée.

Il n'en fallut pas davantage pour alimenter la panique des Thébains.

« Le roi a disparu ! »

« Et la reine avec lui ! »

« Les fièvres malignes ! »

« Œdipe se meurt dans le secret du palais ! »

On comprenait soudain que le roi n'était pas plus à l'abri de la peste que le plus humble de ses sujets : l'air auprès du trône n'était pas moins infecté.

« La peste ne respecte rien ! »

« Le trône est vacant ! »

« Un régent ! Donnons-nous un régent ! »

« Où est Créon ? »

« Deux jours que nul ne l'a vu ! »

« Mort aussi ? »

« Sans doute ! »

En une seule journée, la peste fit autant de victimes qu'elle suscita de prétendants à la régence.

Affolée par l'épidémie, l'imagination des Thébains s'abandonnait à toutes les démesures. La mort forçait les portes avec indifférence.

La cité était livrée à tous les vents. On s'y affolait, on y divaguait, on y mentait, on y mourait. Plus de portes, donc plus de barrières, plus de filtres, plus de mesures, plus de censures, plus de limites.

— Qui a dit que l'absence de portes, c'était l'Âge d'Or?

— C'est l'enfer!

Le couple royal n'était pas épargné par ce dérèglement qui portait à toutes les extrémités. Jocaste, qui, hier encore, maudissait le ciel, lui rendait grâce aujourd'hui.

Le roi, qui en craignait la malédiction, s'imaginait béni des dieux!

En marchant vers Thèbes, Œdipe remontait son passé. Aucun doute! À chaque pas il y reconnaissait l'empreinte du divin. De toute évidence, Métis, la subtile, l'avait aidé à deviner les énigmes de la Sphinx. L'aurait-elle fait, s'il n'avait pas été le vengeur de Laïos? L'enchaînement des raisons et des effets se renversait. Oui, la gloire du roi Œdipe revenait aux dieux. Ils avaient agi en lui quand il croyait agir. Lorsqu'il décidait, il ne faisait qu'obéir! Une indicible paix l'envahit à se savoir l'instrument de volontés sublimes.

L'oracle de Delphes lui-même trouverait son explication dans l'éclairage de ces desseins supérieurs.

Il se reprocha, alors, son mouvement de colère contre la procession sacrificielle des enfants de Thèbes. Son peuple avait compris que le divin parlait à travers lui : le peuple sent tant de choses ! Le peuple devine. Le peuple est un grand devin.

Dans les faubourgs, il croisa quelques regards incrédules.

Jadis, on l'avait accueilli de la même façon…

Il réprimait sa joie : bientôt, on le fêterait comme un sauveur. Certes, il n'avait été que l'exécuteur des volontés divines ; mais il restait maître de choisir le moment de le révéler. Renfermer en lui un pareil secret lui donnait l'impression de s'égaler aux dieux.

Ils l'en châtieraient.

*

Antigone avait commis une grave faute. Pendant l'absence de ses parents, la surveillance s'était un peu relâchée dans le palais : Antigone en avait profité pour monter sur un trépied et s'emparer de l'objet de toutes les convoitises : le petit satyre buveur en terre cuite.

Cette amusette attirait les enfants, mais seul Étéocle, l'aîné, était autorisé à la toucher. C'était une figurine représentant un satyre assis, qui tenait un vase devant lui. Le corps était creux et communiquait avec le vase par un siphon dissimulé. On remplissait le vase, et le satyre buvait ou rendait à volonté, selon qu'on obturait les orifices percés sur sa tête ou dans son dos. Étéocle accompagnait la démonstration de commentaires et de gargouillis ; les enfants riaient aux éclats. Insoumise et curieuse, Antigone tenait enfin l'occasion de découvrir ce mystère conçu par un artisan béotien. Elle avait glissé une épingle dans un orifice. L'épingle s'était coincée. Antigone avait secoué le satyre. Il s'était brisé entre ses mains. Terrorisée, elle essayait d'en enterrer les débris dans le jardin quand sa gouvernante l'avait surprise.

— Petite rebelle enragée ! Tu vois ? Tu vois le résultat de ta désobéissance ?

À son retour, Œdipe ne put aller contre les remontrances de la gouvernante. Mais, en voyant pleurer la petite maladroite, il sentit son propre cœur aussi friable qu'une figurine de terre cuite…

CHAPITRE VI

Dans un vallon retiré du massif du Cithéron, bien au-delà du sanctuaire des Bacchantes, le chant d'une flûte accompagnait le déclin du jour. Seul, ce fil sonore, droit comme une fumée dans l'air immobile, signalait la présence de l'homme. La cigale bruissante, perchée sur l'olivier auquel il s'adossait, crépitait, monotone. Le chardon fleurissait. Entouré de ses chèvres, le vieux berger attendait. Tout finirait par arriver : la fin du jour, la fin de l'été, la fin de sa mémoire, dans ce vallon reculé du massif du Cithéron, bien au-delà du sanctuaire des Bacchantes.

*

Tandis qu'Œdipe et Jocaste rentraient par la porte nord, le destin choisit le sud pour pénétrer dans la ville aux sept portes. Un étranger demandait comment parvenir jusqu'à la personne du roi. Il paraissait très agité malgré son grand âge. On le conduisit au portier Pyloros.

— Je m'appelle Iphicrate. La ville de Corinthe m'a chargé d'un message de la plus haute importance pour votre roi.

Pyloros se méfia. Un message de la plus haute importance ? Confié à ce vieillard ? Malgré les dangers de la route ?

— J'aimerais te croire.

— J'en convaincrai ton roi.

— La route t'a bien fatigué...

— À mon âge, on ne voyage pas sans désagrément.

— À ton âge, on fait porter les messages par de plus alertes...

— Pas celui que j'apporte à Œdipe.

La reine Jocaste fut la première avertie de cette arrivée insolite. Jalouse de l'imminence de son triomphe, elle s'impatientait contre tout ce qui pouvait le retarder.

— Et d'où nous vient-il, cet étranger ?

— De Corinthe.

Corinthe ? La reine reçut le messager.

— Si tu es l'épouse bénie du roi de Thèbes, que les dieux protègent à jamais ton bonheur, et celui de ta famille, à jamais !

— Je reçois cet hommage avec gratitude. Est-ce là le parler corinthien ?

— C'est le langage de ceux par qui la félicité s'annonce.

— Quel bonheur peut-il m'advenir d'une cité qui m'est étrangère ?

— Corinthe t'est étrangère, reine, mais familière plus que tu ne crois. Ombre et lumière, chaleur et froidure : un grand bonheur ne va jamais sans quelque tristesse…

— Dois-je trembler en même temps que me réjouir ?

— Les habitants de Corinthe se disposent à faire de ton mari le roi du pays de l'Isthme.

— Leur trône est-il vacant ?

— Notre cher roi Polybe n'est plus.

Iphicrate n'eut pas le temps de continuer : la reine réprima un cri et disparut.

*

Œdipe était déjà en train d'organiser la recherche de Phorbas. Il la confiait à ses trois compagnons, Oudéos, Hyperénor et Pélorion.

Œdipe chassait souvent le sanglier avec eux, sur les flancs du Cithéron. Avec leurs molosses parfaitement dressés, ils fouilleraient le massif en peu de temps : aucune présence de berger ne leur échapperait.

— Nous progresserons du Levant vers le Couchant…

— Si Phorbas vit, il est déjà devant toi !

Il y eut une agitation près de la porte. Dans un instant, Jocaste, rayonnante, annoncerait à Œdipe la mort de son père.

*

Malgré son immense fatigue, le vieil Iphicrate n'avait pas manqué de remarquer l'accueil singulier d'Œdipe à cette triste nouvelle. Loin d'en paraître abattu, le jeune roi harcelait le vieux messager : le roi Polybe, mort ? quand ? où ? comment ? en présence de qui ? vrai ? l'as-tu vu ? touché ? la cause, la cause !

En voilà bien de l'inquiétude, songeait Iphicrate, pour une mort naturelle…

— Parfaitement naturelle, confirma-t-il : simple effet de l'âge.

Ainsi, je n'aurais aucun lien avec la mort de

mon père ? songeait Œdipe, le coeur battant. Tu fais mentir l'oracle de Delphes, vieil homme, tu le fais mentir... Est-ce possible ? Œdipe questionna encore.

— N'est-ce pas le désespoir de ne plus voir son fils, qui aurait emporté le vieux roi ? Dis-moi !

— Il vous regrettait beaucoup, oui. Mais le temps avait refermé cette blessure.

Jocaste ne put se contenir davantage. Elle entraîna son mari :

— Même indirectement, même à ton insu tu n'es pour rien dans la mort de ton père ! L'oracle a menti ! Tu es libre, Œdipe, libre !

Alors, Œdipe se détourna.

À suivre des yeux cette silhouette dont le dos se voûtait, Iphicrate et Jocaste surent qu'Œdipe entrait en chagrin. Ils respectèrent sa douleur. On convint d'ajourner la discussion sur l'héritage de la monarchie de l'Isthme. D'ailleurs, l'épuisement du messager la rendait peu souhaitable.

*

Oui, le souvenir de Polybe tourmentait Œdipe. La tendresse et le remords l'envahissaient.

Polybe avait été le meilleur des pères. Œdipe s'était appliqué à lui ressembler. Mais à cause de cet oracle maudit, il l'avait abandonné, et condamné à une mort solitaire ! À cause de l'oracle, il avait laissé mourir Polybe sans lui manifester son affection, son admiration, sa fidélité. À cause de l'oracle, il avait endossé le rôle haïssable de fils ingrat. Tant d'indignité, pour avoir cru en l'autorité d'un oracle ! Une simple croyance, une dérisoire superstition ! Il avait asservi son destin à quelques mots, à leur imbécile vibration ! Il se sentait vide, maintenant, démuni. Il avait bâti sur du vent, arc-bouté son existence contre le vent ! Le vent tombait soudain, et tout s'effondrait. Et il comprenait alors que, malgré les ravages qu'il avait causés, l'oracle avait eu au moins une vertu : donner un sens à sa vie.

*

La nuit était froide, obscure. Le palais dormait. Œdipe aurait aimé serrer dans ses bras sa petite Antigone.

Il songea que ses compagnons bivouaquaient sur quelque pente du Cithéron. La belle voix d'Hyperénor devait fredonner une mélopée auprès des braises… Les habitants de Thèbes savaient déjà, sans doute, que le roi avait envoyé ces trois limiers sur une piste. C'était leur redonner un peu d'espoir. Mais quelle piste ? Œdipe essayait d'ordonner ses idées.

« Qu'espérer de ce Phorbas ? Qu'il m'identifie comme le vengeur de Laïos ? À quoi bon ? Je sais maintenant que je n'en suis pas l'assassin : c'est bien assez. Être reconnu comme un élu du ciel ? Encore des superstitions… Attendre des révélations sur l'identité des coupables ? Il faut donc supposer que Phorbas n'aurait pas dit autrefois tout ce qu'il savait. Pour quelle raison ? Peur de représailles ? Mais si je lui apprends qu'il n'a plus rien à craindre, que j'ai tué de ma main ceux qu'il redoutait, sa langue se déliera… À moins qu'il ne sache qu'un des assassins m'a échappé… Oui, hélas, c'est le plus probable ! Et ce rescapé doit être le chef de l'opération, l'assassin de Laïos en personne ! Sinon, pourquoi l'oracle de Delphes s'obstinerait-il à parler du régicide impuni ? Delphes ! Toujours Delphes ! Pas une de mes pensées qui n'y revienne ! »

Il songea soudain aux confidences de Jocaste. Et il se dressa dans la nuit. Extraordinaire ! Il était extraordinaire qu'une même prédiction ait été faite à Laïos ! Inceste et parricide ! Quelle obsession ! L'oracle de Delphes était-il coutumier du fait ? Combien de fois, à combien de pèlerins, avait-il prédit l'inceste et le parricide ? Fallait-il les retrouver tous ? Les interroger tous ? Afin de s'appuyer sur des précédents pour régler sa conduite... Ou peut-être comprendre enfin le sens de cet oracle monstrueux ?

CHAPITRE VII

— Créon ! Les régicides ont été retrouvés ! Le roi de Thèbes est roi de Corinthe !

— Quoi ? Que dis-tu ?

La petite Corinne s'était faufilée. Dans l'ombre, elle avait réussi à tromper l'attention des archontes qui surveillaient la maison de Créon.

— Les régicides ont été retrouvés ! Le roi de Thèbes est roi de Corinthe ! voilà ce que m'a dit ma maîtresse. « Va trouver Créon, attends d'être seule avec lui, et dis-lui ceci : les régicides ont été retrouvés, le roi de Thèbes est roi de Corinthe. »

— Elle ne t'a rien dit d'autre ?

— Elle m'a dit : « les régici… »

— Parle plus bas ! Comment t'a-t-elle paru ?

— Rouge ! La reine Jocaste était toute rouge !

— Contre qui était-elle en colère ?
— Contre personne !
— Tu dis qu'elle était rouge.
— Elle a pris un coup de soleil.
— Elle est sortie du palais ?
— Avec le roi.
— Où est-elle allée ?
— Au soleil.

Créon eut un mouvement d'impatience. Il n'en apprendrait guère plus de cette petite écervelée. Les assassins de Laïos retrouvés ? mais alors, lui, Créon, se trouvait innocenté ! La perspicacité d'Œdipe avait-elle eu raison de sa malveillance ? Mais que venait faire Corinthe dans cette affaire ?

— Fais un effort, Corinne ! Une servante a des oreilles ! La reine a pris la route de Corinthe ? C'est ce que tu as entendu ?
— Je veux bien dire quelque chose, mais...
— Mais quoi ?
— Je n'ose pas.
— Corinne ! Je suis son frère !... Écoute : je t'offrirai...
— Un satyre buveur !
— Même un satyre bavard ! Parle, enfin !
— La reine était très joyeuse. Vraiment très très joyeuse. On aurait dit qu'elle dansait... Et

puis elle parlait toute seule… Mais là, elle disait des choses… terribles !

— À quel sujet ?

— Tirésias… Delphes…

Créon avait compris : la vieille obsession de sa sœur, l'unique sujet de querelle entre eux. Elle ne s'était jamais remise de la lointaine prédiction de Tirésias qui avait endeuillé sa maternité. « Jamais je ne soumettrai ma vie aux prestiges d'un oracle, quel qu'il soit ! Je récuse leur empire ! Le présent est mon royaume ! » Créon avait été si choqué par ces blasphèmes qu'il s'était senti près de renier sa sœur malgré les liens sacrés du sang. Que s'était-il donc passé pendant cette journée ? La grande querelle de Jocaste prenait-elle fin vraiment ? Plus de deux décennies d'un combat obstiné…

— Va, Corinne ! Recommande la prudence à ma sœur. Dis-lui que le bonheur ressemble au satyre buveur : il rend incessamment ce dont il s'abreuve.

*

La bibliothèque du palais de Cadmos était justement réputée. Le temps y avait accumulé une immense quantité de volumes : pharmacopées, cartes de géographie, recueils de lois, abrégés de mathématique, généalogies, manuels d'architecture. Mais le savoir fondamental était ailleurs. Seule la mémoire des anciens conservait la connaissance la plus précieuse, celle de l'homme et des dieux : la mythologie. Très souvent, le savoir mythologique portait une vénérable barbe blanche. À Thèbes, c'était la barbe de Tirésias, ou celle du vieux prêtre Ténéros. Mais si le savoir de Tirésias semblait conquis sur les ténèbres, celui de Ténéros s'exposait sereinement en pleine lumière. C'était lui qu'attendait Œdipe, dans la bibliothèque.

— Aucun des volumes que tu vois ne renferme ce que je cherche. C'est pourquoi je t'ai fait venir, honorable Ténéros !

— Si j'avais la moindre information sur la mort de Laïos, j'aurais obéi depuis longtemps à l'édit royal.

— Je te crois, Ténéros. Néanmoins tu vas m'être utile.

Ténéros eut un geste d'impuissance :

— Utile ? Un cheval l'est au voyageur, ou une

bonne paire de sandales… Mon savoir n'est rien d'utile.

— Je suis bien chaussé, Ténéros, et mes chevaux ne craignent pas les courses lointaines. Mais j'ai perdu mon chemin.

— Je ne puis vous enseigner que celui des autres.

— Enseigne-moi la route qu'ont suivie ceux auxquels on a prédit qu'ils tueraient leur père et coucheraient avec leur mère.

La main de Ténéros chercha la réponse dans l'épaisseur de sa barbe. Il hocha la tête et répondit enfin :

— Entre parents et enfants, bien des voies funestes ont été frayées, mais pas celle-là. Vous devez vous tromper.

— Un fils assassin de son père, tu n'en connais pas d'exemple ?

— Demandez-moi plutôt de vous citer les pères assassins de leur fils, je serais moins embarrassé, nous n'en manquons pas ! À commencer par notre malheureux Héraclès.

— Mais lui, c'est dans un accès de folie qu'il a tué ses enfants… Encore une victime de la colère d'Héra ! Elle le poursuivait depuis sa naissance !

— Soit. Un autre exemple, alors. Que diriez-vous de Cronos. le père des dieux. qui avala méthodiquement ses enfants à mesure qu'ils naissaient. parce qu'on lui avait prédit que l'un d'entre eux le détrônerait ? Belle lucidité ! Et qui fit des émules ! L'exemple de Cronos libéra l'appétit de Tantale, d'Atrée, de Lycaon, d'Harpalycé, de Crotope, de Polycrite, et autres ogres : on dirait que certains pères n'engendrent que pour se remplir l'estomac.

— On rapporte que Laïos lui-même…

— Oui, Laïos a fait mourir son unique fils. Les pères sont de terribles prédateurs. Mais les mères ne font pas mieux.

— La légende sanglante de Lamia a terrorisé mon enfance.

— Lamia, oui… Mais Lamia était un monstre, un vrai monstre. Alors que tant de jeunes mamans apparemment si douces…

Le vieillard s'interrompit, songeur.

— Les mères, murmura-t-il enfin, se réservent le privilège plus sournois d'exposer leur enfant.

— Tout de même, elles leur laissent une petite chance !

— En sont-elles plus innocentes ? Comme si elles ne donnaient la vie que pour s'accorder l'avantage de la prendre !

Œdipe répugnait à ramener la conversation sur sa mère. Depuis dix ans, tout ce qui lui rappelait Mérope l'effrayait. Il n'osait pas même se souvenir de ses traits. La honte aussitôt le submergeait. Et la terreur, à l'idée de l'inceste ! Si pure, cette enfance auprès de cette mère... ce qu'il y a de plus pur au monde...

Ses compatriotes appelaient Œdipe pour succéder à son père. Aurait-il la force d'affronter de nouveau le regard de Mérope ? Il avait espéré puiser ce courage auprès de Ténéros. Mais il le sentait bien maintenant, quoi que Ténéros vînt à lui révéler sur l'inceste, sa décision était prise : jamais il ne rentrerait à Corinthe du vivant de sa mère.

Alors Ténéros enseigna au roi que la mythologie ne peut servir de caution à toutes les perversités :

— La mythologie est riche, extraordinairement riche. Mais on ne peut lui faire dire n'importe quoi. Des relations coupables entre une mère et un fils, vous aurez beau faire : vous n'en trouverez pas. On dit que toutes les monstruosités sont dans la nature : peut-être ! Mais pas dans la mythologie. Oh ! Bien sûr, il y a bien quelques situations accidentelles, çà et là, qui ont pour résultat fortuit un malheureux inceste. Mais enfin, on ne peut fonder une vérité générale sur des quiproquos…

Le roi était plongé dans un embarras grandissant.

— Allons, Majesté, vous cachez en vain ce qui vous tourmente, dit alors Ténéros.

Œdipe se raidit.

— Depuis quand sais-tu mon tourment ?

— Vos questions me l'ont fait deviner.

— Mon père Polybe est mort loin de Thèbes ; ma mère vit encore : je ne suis qu'à moitié délivré de la menace.

— Si l'oracle était en partie faux, il le serait tout entier.

— Veux-tu dire que ce n'est pas le cas ? qu'il me faut encore le craindre ?

Alors, Ténéros adopta un ton de pédagogue.

— L'oracle dit juste, Œdipe, mais tu n'as rien à craindre. Il te suffit d'ouvrir les yeux !

— Hélas, je les tiens tant ouverts que la nuit elle-même ne les referme pas !

Le vieillard se pencha brusquement. Il plaça deux de ses doigts écartés sous les yeux du roi.

— Aussi clairement que ces deux doigts,

Œdipe, ne vois-tu pas que tu as deux patries ?

— Je vois Corinthe d'une part et Thèbes de l'autre. En effet...

Le vieillard se redressa de toute sa taille.

— Corinthe et Thèbes, oui ! Autant dire père et mère ! Eh bien ? N'as-tu pas renié Corinthe ? N'as-tu pas épousé Thèbes ? L'oracle n'a jamais dit autre chose !

*

Rien ne s'opposait plus au retour d'Œdipe à Corinthe. Il le différa, pourtant. Ce couronnement posait des problèmes diplomatiques et constitutionnels tels qu'on n'en avait jamais rencontrés. Mais Œdipe, surtout, ne voulait pas abandonner Thèbes au milieu du gué. L'imminence du dénouement ne faisait plus de doute. Bien des zones d'ombre avaient été éclairées. Certes, le régicide courait toujours, mais le filet se resserrait. Le retour de la mission du Cithéron serait décisif. Avec la fin de ses tourments personnels, Œdipe entrevoyait la guérison de son peuple.

Jocaste fut contrariée par la démarche d'Œdipe auprès de Ténéros. Elle s'impatientait contre la lenteur précautionneuse de son mari à nettoyer tous les recoins de son cerveau. Tout n'était-il pas clair, désormais ? Mais Jocaste accueillit avec joie l'interprétation de l'oracle imaginée par cette barbe blanche… Comme tout ce qui allait dans le sens des forces de la vie.

CHAPITRE VIII

Iphicrate, le messager de Corinthe, avait peine à croire ce qu'il venait d'apprendre.

— C'est donc l'existence du roi Polybe, qui te retenait éloigné de Corinthe ?

Œdipe et la reine poursuivaient leur entretien avec l'envoyé de l'Isthme.

— Il m'est difficile de te répondre.

— Œdipe, il le faut ! Que diras-tu à mes concitoyens quand ils te poseront la question ?

Œdipe hésita encore, puis se libéra d'un coup.

— Écoute, Iphicrate… Et mesure toi-même mon embarras. Car la cause de mon exil volontaire n'est rien, rien qu'un oracle reçu à Delphes – un oracle terrible, qui me voyait tuer mon père et souiller la couche de ma mère !

— Vraiment ? C'est vraiment la raison pour laquelle tu t'es tenu éloigné de tes parents ? La seule raison ?

— En est-il de plus puissante ?

— Ô pauvre de toi ! Quelle extravagance ! Que de vaines terreurs !

— Aujourd'hui que mon père n'est plus, il est facile de parler ainsi !

Iphicrate s'autorisa un demi-sourire.

— Mais alors, gare à Mérope ! La reine est encore en vie, elle !

Œdipe ne perçut pas l'ironie.

— J'essaie de me persuader que je n'ai plus aucune raison de la craindre.

Un franc rire éclata sur le visage du vieux messager :

— Allons, Œdipe ! Laisse ces alarmes, et réjouis-toi ! Corinthe m'a choisi pour t'apporter la nouvelle libératrice ! celle qui te prouvera l'inutilité de toutes tes précautions !

— Quoi de plus convaincant que la mort de mon père ?

— Oh, pour t'apprendre cela, il était inutile d'exposer mes vieux os aux fatigues de la route.

— Nous diras-tu enfin ce qui a mérité cette peine ?

— Œdipe ! Œdipe ! Le destin m'envoie t'apprendre que tu n'es pas le fils de Polybe, ni celui de Mérope !

Le roi de Thèbes n'eut aucune réaction. Iphicrate crut qu'il n'avait pas entendu.

— M'entends-tu ? Le sang qui coule dans tes veines n'a jamais été celui des souverains de Corinthe !

*

Dans ce vallon égaré du massif du Cithéron, bien au-delà du sanctuaire des Bacchantes, les grillons avaient cessé depuis longtemps de faire chanter la terre craquelée. Le vieux berger remarqua que ses chiens venaient de tressaillir. Il arrêta de jouer. Les accents de sa flûte retombèrent doucement au pied des arbres. La cigale se tut. Les chiens pointèrent leur inquiétude vers le Levant. Le berger perçut enfin les aboiements d'une meute. L'idée lui vint que c'était dans ces parages que le malheureux Actéon avait été dévoré jadis par les cinquante chiens qu'Artémis avait lancés sur lui. Phorbas se saisit de son bâton de cornouiller. « Les voici enfin. » Il s'inquiéta de ce que ses chères bêtes allaient devenir en son absence, dans ce vallon perdu du massif du Cithéron.

*

Œdipe sortit enfin de son incrédulité.

— Ose répéter !

Iphicrate répéta :

— Polybe n'était pas plus ton père que je ne le suis.

— S'il n'était pas mon père, pourquoi suis-je son fils ?

— Parce qu'il t'a reconnu comme tel.

— D'où tiens-tu ce conte, digne des inventions les plus folles d'un devin aveugle ?

— De moi-même. C'est de mes propres mains que Polybe reçut jadis le petit enfant qu'il fit sien.

— Pourquoi l'a-t-il adopté ?

— Parce que Mérope ne pouvait lui en donner. Il a reçu celui-là comme un don du ciel.

— Non. Comme un don de toi !

— Que le ciel me fit dans une gorge ombreuse du Cithéron.

— Qu'y faisais-tu ?

— J'avais la charge des troupeaux de la montagne.

— Tu étais berger ?

— Berger, oui. Et j'ai soigné ce petit agneau en perdition.

— Il était malade ?

— Il n'est pas guéri : vois tes pieds !

Jamais quelqu'un n'avait osé faire allusion à l'infirmité du roi en sa présence. Œdipe réprima sa surprise en silence.

— N'est-ce pas à cette infirmité que tu dois ton nom ? reprit enfin le messager. Tu m'as été remis affreusement mutilé : on t'avait transpercé les chevilles pour les ligoter.

Un instant suspendu, le harcèlement des questions reprit de plus belle :

— Qui furent mes tortionnaires ?

— Je l'ignore. Mais celui de qui je t'ai reçu devait le savoir.

— Qui était-ce ?

— Il passait pour serviteur du roi Laïos.

— Thébain ?

— Sans doute.

— L'as-tu revu ?

— Avant ce jour-là, le jour de l'enfant, nos routes se croisaient parfois. Depuis, je ne l'ai jamais plus rencontré.

— Crois-tu qu'il vive encore ?

— Comment le saurais-je ? Mais la reine Jocaste, peut-être…

Œdipe se tourna vivement vers la reine. Il fut frappé par son changement. Elle avait un air dur, lointain.

— Reine, te souviens-tu de ce serviteur de Laïos ?

De la main, la reine chassa la question.

— Quelle importance ?

— Quelle importance ? Ma naissance, aucune importance ?

— Cher Œdipe, toujours prompt à s'enflammer aux fables du premier venu ! Tirésias d'abord, Ténéros ensuite, aujourd'hui, celui-ci, qui n'a plus que la moitié de sa tête… Et quelle autre prédiction, demain ? Et de quelle bouche édentée ?

— Ose dire que le témoignage de cet homme ne t'a pas émue ?

— Sornettes.

— Dois-je traiter à la légère ce qui engage mon destin ?

— Si tu m'en croyais, c'est ce que tu ferais, et tu t'en trouverais bien.

— Jamais je ne rebrousserai chemin sur la voie qui vient de s'ouvrir !

— C'est une impasse, Œdipe ! Oublie tout cela, oublie-le !

La reine implorait. Œdipe la considéra, longuement.

— Ennemie de la vérité, murmura-t-il enfin. La reine craint-elle qu'on ne découvre à son mari une naissance trop vulgaire? Une extraction déshonorante? Écoute-moi. Jamais je ne fermerai les yeux. Je me décrète fils de la Fortune : voilà ma mère! Je ne rougirai pas du lot qu'elle m'aura accordé. Fils de la Fortune et de la Vérité!

— Œdipe! Je t'implore!... Je t'en conjure!...

Mais le roi ne prêtait plus attention à la reine. Le roi donnait déjà ses ordres :

— Qu'on retrouve l'unique témoin de ma naissance!

En traversant la cour, Jocaste ne vit pas les enfants et piétina le jeu qu'ils avaient dessiné sur le sol. Elle s'enfuyait vers ses appartements. Elle était méconnaissable. Ses yeux étaient sauvages. Elle avait compris qu'elle serait impuissante à empêcher la course vers la catastrophe. Elle disparut en proférant des plaintes incompréhensibles.

*

« Nuit ou jour ? » Les enfants jouaient à l'ostrakinda. Ils se servaient d'une valve de coquille d'huître comme d'un palet. « Nuit ou jour ? » criait le lanceur. Nacrée et lisse d'un côté, grise et striée de l'autre, il fallait que la coquille retombât du côté nacré sur l'un des carrés dessinés au sol, en évitant les deux cases rondes figurant l'une l'ostracisme, l'autre les Enfers. Le vainqueur était celui qui atteignait la case des Champs-Élysées, juste au-delà des deux cercles fatals.

Seule Antigone avait remarqué l'agitation de sa mère. Inquiète, elle hésitait à la suivre.

C'était au tour de Polynice de jouer. Il était très adroit. La coquille alla retomber directement dans les Champs-Élysées. Mais elle se mit alors à rouler. Tous les yeux suivaient ce coup magistral. À quelques millimètres du trait séparant les Champs-Élysées des Enfers, la coquille d'huître sembla vouloir se renverser une dernière fois. Les enfants retenaient leur souffle. Le sort hésitait interminablement. Enfin la coquille bascula.

« Polynice, aux Enfers ! »

Ismène battait des mains.

Elle était ravie.

*

Le retour des chasseurs du Cithéron était annoncé. La nouvelle se répandait dans la cité.

— Ils sont accompagnés !

— Un homme avec eux !

On se rua pour accueillir l'escorte. On examina le berger qu'Oudeos portait en croupe.

— C'est un vieillard !

— C'est Phorbas !

— Tu es Phorbas ?

— Ce n'est que Phorbas...

La capture fut jugée plutôt décevante. Rien d'autre que le vieux Phorbas...

Le roi convoqua les Anciens et les archontes. Lorsque l'homme fut appelé à comparaître dans la salle des audiences, un grand silence se fit. On entendit le tâtonnement d'un bâton de cornouiller sur le dallage de l'entrée. Œdipe tressaillit : de quoi Tirésias venait-il se mêler ? Mais non, ce n'était pas Tirésias qui s'avançait là, c'était un vieux faune voûté.

Œdipe n'en crut pas ses yeux : derrière ce déguisement d'homme des bois, il venait de reconnaître le bandit qui lui avait échappé ! Le quatrième ! Pas d'erreur possible ! Le régicide en personne, si Delphes avait dit vrai ! Ô l'admirable traque réussie par Oudéos, Hyperénor et Pélorion ! Quelle magnifique prise ils lui livraient là !

Œdipe décida de ménager ses effets. Il assisterait en silence à l'interrogatoire mené par le premier magistrat : décidément, il aimait ce genre de situation.

Le prisonnier se montra habile. Il avait eu le temps de préparer sa défense ! Il s'appelait bien Phorbas, il suivait l'escorte de Laïos ce jour-là, oui, ils étaient tombés dans une embuscade, oui, tendue par des bandits de grand chemin – qui cela ? – il ne les connaissait pas – nombreux ? oui, ils étaient nombreux – combien ? Il l'ignorait. On ne prend pas le temps de compter quand on sauve sa vie. Il était, lui, le seul rescapé.

Bon ! Il ânonnait la sempiternelle version des événements de la Schistê Odos. La thèse officielle. Pouvait-on s'attendre à autre chose ? Phorbas en était lui-même l'auteur ! Puisqu'il était lui-même le régicide…

Et le régicide continuait placidement à alimenter la crédulité générale.

Œdipe intervint.

— Alors, c'est ainsi ? Vous avez été attaqués par des bandits ?

— C'est ainsi, Majesté, oui.

— Combien de bandits, disais-tu ?

— Je ne me souviens pas exactement : trois ou quatre, peut-être ?

Œdipe se tourna vers les archontes.

— Qu'on lui attache les mains !

C'était un rite annonciateur de torture. Phorbas le savait. Il gémit.

— Non, Seigneur, non !

Œdipe suspendit les préparatifs des archontes.

— Alors ? Ces assaillants ? Combien ?

— Il n'y en avait qu'un, Seigneur !

— Tiens ! Et par quelle opération ce qui a toujours fait « trois ou quatre » se réduit soudain à l'unité ?

— J'avais peur, Seigneur.

— Ah oui ? Et en ce moment, apparemment, tu n'as plus peur ?

— Je crois en votre clémence.

— Penses-tu que tes mensonges m'y disposent ?

— J'ai travesti la vérité sur les événements de la Schistê Odos parce que j'ai eu honte. Honte qu'un homme seul eût triomphé de quatre. J'ai voulu échapper au déshonneur de n'avoir pas sauvé mon maître.

— C'est assez bien trouvé ! Mais il va falloir imaginer mieux pour me convaincre... Allons, Phorbas, je vais t'aider ! Abaisse ton masque ! Je t'ai reconnu !

— Moi aussi, Majesté !

Toute l'assemblée se retourna : ces derniers mots venaient d'être prononcés par un homme dont personne n'avait remarqué l'arrivée.

— Moi aussi, je reconnais cet homme !

Quelque temps auparavant, Iphicrate, ayant remarqué l'agitation aux abords du palais, en avait demandé la raison. On lui avait appris qu'une mission ramenait un berger du Cithéron, pour un témoignage important. Pensant qu'on avait retrouvé son homme, Iphicrate s'était introduit dans la salle des audiences. Pourquoi interrogeait-on ce berger sans le convoquer lui ? Devant le tour stupéfiant que prenait l'interrogatoire, il avait décidé d'intervenir.

La phrase résonnait encore :

— Moi aussi, je reconnais cet homme.

Il y eut un long silence. Iphicrate s'avançait. C'était le tournant. Le moment où les eaux du Léthé libèrent des forces maléfiques. Nuit ou jour ? Le moment où une porte s'ouvre ou se ferme. Nuit ou jour ? Le moment où, entre les Champs-Élysées et le séjour des ombres damnées, il n'y a plus que le souffle d'une parole proférée ou retenue, l'épaisseur infime d'un trait sur lequel vacille une coquille.

L'esprit d'Œdipe travaillait intensément. Il flairait la machination. Iphicrate et Phorbas étaient complices ! La vérité allait éclater : le meurtre de Laïos était un complot de Corinthe ! Il avait été, lui, le fils prétendu de Polybe, entièrement abusé depuis le premier jour. Un pion utilisé par Corinthe pour placer l'un des siens au commandement de Thèbes ! Voilà ce qu'il avait été ! Quel aveuglement ! Quand il aurait suffi d'ouvrir les yeux, oui ! À quoi lui avaient-ils servi, ses yeux, lui, l'expert en énigmes ?

— Mais je ne te reconnais pas, moi, répliqua Phorbas.

Iphicrate ne s'attendait pas à cette réplique. Il se tourna vers le roi, qui trouva plaisant de jouer l'intermédiaire :

— Pardonne à sa mémoire, un peu défaillante…

Œdipe mettait en place les protagonistes et se disposait à savourer la comédie qu'ils lui avaient préparée.

— Ne passais-tu pas jadis la belle saison à mener paître des troupeaux dans le Cithéron ? demanda Iphicrate à Phorbas.

— C'est bien là, en effet, que les envoyés du roi sont venus me chercher…

— Je parle d'un temps plus ancien, celui où Laïos était roi de cette cité.

— Pendant l'été, Laïos me confiait deux troupeaux, oui. Je les conduisais dans le Cithéron. Ou ailleurs…

— Le temps passé a-t-il affaibli ta mémoire au point que tu aies oublié le berger corinthien qui te tint compagnie trois étés durant ?

— Il m'arrivait de rencontrer des bergers venus de bien des cités. De Corinthe aussi, sans doute.

— Allons ! Nous faisions des concours de flûte…

« Des concours de flûte ! Si c'est une comédie, piètres interprètes… », songeait Œdipe. Aurait-on bâclé la pièce ? Mal répété les rôles ? La capture prématurée de Phorbas aurait-elle bouleversé le plan des comploteurs ? Le royal spectateur jubilait : ils allaient se trahir sans qu'il eût à intervenir.

— Voyons, Phorbas !...

Voici que l'homme de Corinthe accepte d'avouer qu'il connaît le prénom du félon...

— Phorbas, Phorbas, souviens-toi ! Un jour, ce n'étaient pas des troupeaux que tu menais sur le Cithéron, mais un nouveau-né mutilé ! Tu le portais dans tes bras !

À cet instant, Phorbas fut saisi de panique. Houlette brandie, il se jeta sur le vieillard corinthien. Des archontes s'interposèrent. On le maîtrisa.

Stupeur générale !

Œdipe rompit le silence. Sa vieille passion de savoir : ce n'était plus un feu, mais un incendie !

— Pourquoi refuses-tu de répondre aux questions de cet étranger ?

— Majesté, on m'a mené à vous pour témoigner sur la mort du bon roi Laïos ! Pas pour réveiller une fable d'un autre âge !

— Qu'as-tu à redouter de cette fable ? intervint Iphicrate, remis de sa frayeur. Je me suis bien acquitté de la tâche que tu m'as confiée jadis. Ne souhaitais-tu pas que je sauve et que j'éduque ce nouveau-né mutilé ? Eh bien ! Je l'ai sauvé ! Et, avec l'aide des dieux, vois : j'en ai fait un prince, ton prince que voici !

Iphicrate s'inclina respectueusement devant le roi de Thèbes. Mais sa révélation ne produisit pas sur Phorbas la réaction attendue. Le vieux berger était accablé, mort debout, ou presque.

Œdipe fut traversé par une idée fugitive : se pourrait-il que Phorbas, ce vieillard démuni, fût son père ?

Fils de la Fortune et de la Vérité...

Qu'en dirait Jocaste ?

— Tu connais donc le secret de ma naissance ?...

*

Jocaste se tenait devant son lit.

Ni Corinne ni aucune de ses femmes n'avaient pu la suivre dans sa fuite éperdue. Elle s'était arc-boutée contre la lourde porte de ses appartements pour la verrouiller. Sa course s'était arrêtée là, dans l'intimité la plus reculée du palais des Labdacides, au pied de cette couche...

« Longtemps suspectée, jamais accusée, te

voilà donc, litière de l'abjection ! Te voilà donc, souille d'une reine immaculée ! Te voilà, paillasse vertueusement défendue ! Te voilà, grabat où l'horreur besogna la régalienne putain ! »

Le vent brûlait la terrasse. Il s'engouffra dans l'appartement. Ses caresses enveloppèrent Jocaste. Elle ne le permit pas. Toutes issues fermées, la pénombre s'installa.

Et Jocaste entendit de nouveau la voix d'Iphicrate : « Tu m'as été remis affreusement mutilé : on t'avait transpercé les chevilles pour les ligoter »... Ô preuve accablante !... ces pauvres pieds mutilés... Ô Preuve !... Savoir, c'était trop savoir.

Tout est découvert.

Jocaste en éprouva un étrange apaisement.

Tout est accompli. Jocaste est coupable. D'avoir donné la vie. D'avoir conspiré pour la vie. Crime de vie. Coupable de vie. Victime, certes, jouet d'une effroyable machination, oui, mais coupable d'être victime. Monstre !

Un Monstre...

À l'heure qu'il est, la cité tout entière doit savoir. Un Monstre... Déjà la nouvelle se hâte vers d'autres cités. Un Monstre... Elle voguera demain, vers les rivages les plus lointains.

La mécanique du malheur est prévisible, infiniment.

Je te précède, Tirésias ! Tout est accompli. Viens exercer ton art une dernière fois ! Allons, une dernière prédiction : ce corps, Tirésias… que va-t-il devenir, maintenant, ce corps monstrueux ?

*

Œdipe tonnait :

— Quel homme es-tu, Phorbas ? Tu abandonnes ton fils au premier berger de passage, et devant ce fils, aujourd'hui, tu refuses d'avouer cet abandon ? Et quel homme crois-tu que je sois, moi ? Incapable de pardonner ? Et quel fils ? Incapable de comprendre la douleur d'un père à qui advient un enfant estropié ?

Phorbas murmura quelques mots. L'assistance comprit avec peine ces quelques mots terribles.

— Mais je ne suis pas ton père !

Il ajouta :

— Au nom des dieux, roi, ne va pas plus loin ! Je ne puis t'en dire davantage.

Et encore, tordant ses vieilles mains :

— Au nom des dieux !

Et le tonnerre d'Œdipe pour réponse :

— Écoutez-le ! Écoutez ce Phorbas ! Écoutez bien, représentants de Thèbes ! Œdipe est un enfant trouvé ! C'est une affaire entendue ! Et voyez : le plus humble, le plus faible d'entre mes sujets retient le secret de la naissance de son roi ! Le plus humble, le plus faible d'entre mes sujets s'arroge le droit de décréter ce que son roi doit ou ne doit pas savoir ! Ce que vous-mêmes devez ou ne devez pas connaître !

Œdipe maîtrisait toujours ses effets oratoires. Il guetta le frisson de réprobation qui allait parcourir l'assistance. Rien ne se produisit. Il chercha à croiser un regard. Mais tous les yeux fuyaient ses yeux. Un à un, Presbytès, Ténéros, Oudéos, Hyperénor, Pélorion, Iphicrate même, baissèrent la tête.

Ils avaient compris. Ils avaient tous compris.

Sauf un.

Œdipe, Œdipe comment peux-tu t'enferrer ainsi ?

Il avait traqué la vérité avec acharnement, exploré méthodiquement les moindres indices, envisagé les hypothèses les plus subtiles. Il avait trouvé un premier suspect en Créon, un deuxième en Tirésias. Il avait ouvert un immense chantier de fouilles en retournant toute l'histoire de Thèbes. Il avait retrouvé l'unique témoin de la mort de Laïos. Il avait réussi à démontrer son propre rôle providentiel dans les événements de la Schistê Odos. Vengeur du roi. Il avait décrypté, grâce à Ténéros, le sens de l'oracle. Il avait écarté les obstacles dressés par Jocaste sur le chemin de la vérité. Il avait déjoué le complot ourdi par Corinthe.

Merveille de logique ! Prodige de ténacité ! Nul ne lui reprocherait de n'avoir pas aspiré passionnément à la lumière !

Et pourtant… pourtant… il n'avait pas encore fait le moindre pas sur le chemin de sa révélation.

Pire : Il avait sauté d'erreur en erreur sur la voie de la vérité…

Maintenant même, au bout de cette piste, il échafaudait l'hypothèse la plus indigente, la plus désarmante, la plus enfantine : la paternité de Phorbas !

Œdipe… Hélas ! Œdipe…

Aucune apparence n'avait résisté sous le regard d'Œdipe ! Sauf l'apparence d'Œdipe lui-même : apparence du roi glorieux, de l'époux vertueux, du père irréprochable, du fils insoupçonnable, seule cette apparence-là avait réussi à lui résister.

La vérité se cachait dans l'évidence. La vérité se cachait dans la gloire même d'Œdipe. Présente, à portée de sa main, à chaque instant, et à chaque pas, dans les stigmates de ses pieds. Ô vérité énorme !

Cet excès même écrasait l'assistance. Tous savaient, à présent ! Œdipe leur avait, à son insu, ouvert les portes de la vérité.

Le silence était devenu insupportable.

Phorbas allait donc parler.

Pauvre fidèle serviteur : libéré par Œdipe lui-même du secret de sa naissance, qu'il avait su si longtemps retenir !

— Ce petit aux pieds meurtris, oui, je l'ai bien remis à Iphicrate ici présent. J'avais reçu l'ordre d'aller le tuer loin de Thèbes. Je m'accuse de n'avoir pas eu le courage d'exécuter cet ordre.

— Pourquoi t'accuser? Si tu dis vrai enfin, c'est à toi que je dois la vie ! Bienheureuse désobéissance ! Brave serviteur ! Voilà donc la terrible faute que tu craignais tellement d'avouer?

L'impatience d'Œdipe se jetait sur chaque parcelle de révélation. Phorbas y trouvait une ultime excuse à sa lâcheté.

— Mais je ne pouvais imaginer que ce mouvement de pitié… cette désobéissance à mon maître…

— Qui était ce maître cruel ?

— Vous le savez, Majesté ! Je n'en ai jamais eu d'autre !

— Quoi ? Laïos ?

— Votre père, oui…

La foudre s'abattit. Dans son éclair, l'esprit d'Œdipe entrevit, déchirant le ciel, l'immense chaîne des causes et des effets : la malédiction d'Héra, la tentative de Laïos pour y échapper, l'oracle de Delphes, ses propres efforts pour le contourner, le sang sur la Schistê Odos, la Sphinx, la peste, et puis… et puis Étéocle, Polynice, Antigone, Ismène : la couche de Jocaste !

*

« Quand j'ai vu mon père traverser la cour à son tour, j'ai eu très peur. Ce n'était plus lui. Il hurlait. Il cherchait ma mère. Il allait chez elle. J'avais peur. Mais je l'ai suivi. Il a essayé d'ouvrir les portes de la chambre. Impossible. Il s'est mis à frapper, avec son épée. De toutes ses forces. La porte a éclaté. Il s'est élancé. J'ai cru qu'il allait la tuer. Mais j'ai entendu un cri terrible. Puis le silence. Je me suis approchée. Tout doucement. Et là… J'ai vu… »

Les sanglots interrompirent le récit qu'Antigone faisait à Créon. En découvrant le spectacle de sa mère pendue et de son père effondré à ses pieds, elle s'était précipitée chez son oncle Créon.

— Tu es une enfant courageuse, Antigone, et c'est un très grand malheur. Tu as bien fait de venir me chercher. Ton père a besoin de moi. Je vais essayer de l'aider. Toi, il faut que tu sois encore très forte. Reste ici et ne dis rien à tes cousins.

— Non, je ne veux pas rester ici.

— Reste, sois forte encore, obéis-moi.

Créon sortit. Il n'y avait plus de sentinelle devant sa porte. En s'élançant vers le palais, il ne remarqua pas l'ombre d'une petite obstinée qui le suivait.

Ce qui l'attendait était pire que ce qu'Antigone lui avait annoncé. Il avait traversé le terrible silence du palais, jusqu'aux appartements de sa sœur. Il était passé devant des silhouettes immobiles qui devaient être celles des Anciens, des archontes, et de quelques familiers du roi.

Et enfin, il avait vu.

Jocaste avait été dépendue. Elle gisait maintenant sur le lit. À ses pieds, Œdipe, prosterné, au milieu d'une flaque de sang.

— Œdipe, je suis venu…

Le roi se retourna vers lui : ses yeux n'étaient plus que deux cavités sans fond par où le sang ruisselait.

— Malheureux ! Qu'avez-vous fait ?

Œdipe ne répondit pas. Il tenait encore à la main la broche d'or appartenant à Jocaste avec laquelle il s'était labouré les yeux.

— Œdipe ! C'est moi, Créon !

— Créon ? Ah, Créon ! Je te salue, roi de Thèbes !

— Majesté…

— Majesté ? Majesté ! Majesté de l'abomination… Majesté du dernier des derniers… Tout est fini, Créon… L'horreur est consommée… Mais écoute-moi… C'est bien que tu sois venu…

Œdipe était à genoux, le visage étrangement tendu dans la direction du régent. Créon détournait le regard, incapable de soutenir la vue de cette déchéance.

— Il va falloir que tu me chasses, Créon, que tu me bannisses à jamais de cette terre dont j'ai fait le malheur. Je n'ai plus le droit de la souiller de ma présence. Je vais partir sur les chemins. J'expierai. Je traînerai ma honte en mendiant sur les routes de Grèce, jusqu'à ma mort. Mais avant, je te demande une faveur : laisse-moi embrasser mes enfants. Puis, rassemble le peuple de Thèbes devant le palais : je veux qu'il entende, je veux qu'il contemple l'abjection de celui qui lui a apporté la malédiction du ciel… Ah ! aussi, procure-moi, je t'en prie, un bon bâton de cornouiller, je vais en avoir besoin.

— Non, tu n'en auras jamais besoin. C'est moi qui te guiderai.

Antigone se tenait devant eux.

Nullement impressionnée, elle se pencha vers son père, qu'elle aida à se relever.

Avec une douceur infinie.

*

Les hérauts parcourent la ville. Ils annoncent que le roi a démasqué l'assassin de Laïos. Toutes les maisons se vident. Toutes les rues se remplissent. Le peuple de Thèbes converge vers le palais de la Cadmée. Sous le soleil qui décline, il se rassemble au pied du vaste escalier. Les tubas sonnent. Tout s'immobilise. Lentement, les lourds vantaux de bronze s'ouvrent. Ils craquent en tournant sur leurs gonds. Au sommet de l'escalier, l'esplanade est déserte. Surpris par cette pesanteur funèbre, le peuple se tait. Enfin les vantaux s'immobilisent. La porte du palais reste béante, comme une bouche sombre. Émergeant des profondeurs, deux frêles silhouettes se dessinent enfin. Elles traversent l'esplanade à petits pas jusqu'au bord de la première marche. On a tout de suite reconnu Antigone. Mais l'autre ? L'aveugle au visage sanglant, aux épaules courbées ? On ne le reconnut que lorsqu'il parla.

— Peuple de Thèbes, j'annonce la fin de tes malheurs ! L'oracle de Delphes avait prédit jadis à Laïos et à Jocaste un fils qui tuerait son père et connaîtrait la couche de sa mère. Ce fils maudit a été retrouvé. Le voici devant vous. Sachez qu'il n'a rien voulu de ce qui est arrivé, qu'il a été malgré lui l'instrument du destin, et qu'il se fait horreur. Il n'a plus le droit de voir le jour. Laissez-le partir et débarrasser votre pays de sa souillure.

Appuyé sur Antigone, Œdipe s'est redressé.

Ils ont descendu l'escalier. La foule s'est écartée. D'une démarche saccadée, la tête levée vers le ciel, Œdipe s'est éloigné en direction de l'Orient, à la rencontre de la nuit.

FIN

INDEX

Agamède : célèbre architecte de la Grèce archaïque, qui conçut la chambre nuptiale d'Alcmène et d'Amphitryon, et bien d'autres monuments, tel le temple d'Apollon à Delphes.

Agamemnon : chef des armées grecques pendant la guerre de Troie. L'époque homérique est postérieure à celle de la légende thébaine.

Alcmène : sa beauté et sa chasteté sont légendaires. Longtemps promise à Amphitryon, c'est à Thèbes qu'elle conçoit Héraclès des œuvres de Zeus, qui s'est introduit dans sa couche par fourberie.

Amphitryon : médiateur dans les luttes pour le pouvoir à Mycènes, il fut banni avec sa femme Alcmène. Thèbes les accueillit. C'est là qu'il devint malgré lui le père d'Héraclès.

Antiope : cette jeune fille d'une beauté extraordinaire, enceinte de Zeus malgré elle, fut persécutée par son oncle Lycos, régent de Thèbes. Elle en devint folle.

Apollon : dieu solaire, qui mesure et met en ordre le cosmos sous son regard lointain. Le souvenir de sa victoire contre Python est perpétué à Delphes, où il est l'objet d'une dévotion majeure. Les Thébains le tiennent en grande vénération.

Archonte : magistrat politique, associé à de multiples prérogatives du pouvoir exécutif.

Artémis : sœur nocturne d'Apollon, elle étend son farouche pouvoir sur la nature sauvage. Thèbes lui voue un culte particulier.

Athéna : autant Apollon et Artémis sont des dieux lointains, autant cette autre fille de Zeus, fort honorée à Thèbes, est une divinité proche, qui manifeste sa présence aux hommes dans toute action volontaire clairement maîtrisée.

ATRÉE : fils de Pélops et d'Hippodamie, une terrible haine l'opposa à son frère Thyeste, à qui il fit manger trois de ses fils. Il eut lui-même pour progéniture Agamemnon et Ménélas.

BACCHANALES : célébrations nocturnes de Bacchus ou Dionysos, qui sont l'occasion de débordements auxquels les femmes surtout sont réputées se livrer sous l'effet du vin.

CADMÉE : nom de la citadelle de Thèbes.

CADMOS : l'un des fils du roi de Tyr Agénor, envoyé à la recherche de sa sœur Europe. L'oracle de Delphes le charge de fonder une ville : Thèbes, dont il est le premier roi.

CHARITES : les trois Grâces qui se manifestent dans la brillance des rayons du soleil embellissant la nature.

CRONOS : fils d'Ouranos (le ciel) et de Gaia (la terre), il se rend maître des dieux, épouse sa sœur Rhéa, et dévore ses enfants au fur et à mesure qu'ils naissent, afin de n'être pas détrôné par l'un d'entre eux, ainsi qu'il lui a été prédit.

CROTOPE : fils d'un roi d'Argos. Il fait mourir sa fille Psamathée, pour avoir enfanté un fils d'Apollon.

DIONYSOS : fils de Zeus et de Sémélé, divinité du vin, il a nourri une abondante mythologie, dont une grande partie paraît importée d'Asie Mineure.

Éphèbe : à 18 ans, l'adolescent devient éphèbe et se soumet à un intense entraînement physique et militaire.

ÉRINYES : les trois divinités violentes qui veillent sur l'ordre familial et social. Elles punissent les criminels en les rendant fous, et les tourmentent jusqu'aux enfers.

EUROPE : fille d'Agénor, roi de Tyr, dont Zeus s'éprend et qu'il enlève à la faveur d'une métamorphose en taureau.

EURYDICE : il faut distinguer la Dryade pour qui Orphée descendit aux enfers, et la femme de Créon le Thébain, mère de Mégarée et d'Hémon.

EXPOSITION : plutôt que de supprimer une progéniture indésirable, on l'abandonnait dans un lieu désert, l'exposant à la nature sauvage.

FURIES : divinités primitives assimilées aux Érinyes.

HARPALYCÉ : l'Arcadien Clyménos tue sa fille Harpalycé après qu'il s'est uni incestueusement à elle, et qu'elle lui a fait dévorer les enfants de cette union.

HÉRA : femme de Zeus, jalouse gardienne des amours légitimes – ce qui, avec un mari comme le sien, ne lui laisse guère de répit.

HÉRACLÈS : fils de l'union clandestine d'Alcmène et de Zeus, il est poursuivi par la jalousie d'Héra. Dans un accès de folie provoqué par la divine abusée, il devient fou et tue tous ses enfants.

Héraut : officier chargé de publications solennelles, et de diverses fonctions dans les cérémonies publiques.

HERMÈS : fils de Zeus et de Maia, il règne sur les routes et leurs voyageurs, et sert de messager et d'interprète aux dieux de l'Olympe.

IBÈRE : peuple d'Ibérie (cf l'Ebre), colonie phénicienne sur l'actuelle côte orientale de l'Espagne.

LABDACIDES : lignée issue de Labdacos.

LABDACOS : petit-fils de Cadmos, le fondateur de Thèbes, et le père de Laïos.

LAMIA : jeune femme persécutée par Héra, qui devient un monstre jaloux de toute maternité : elle ravit et dévore tous les nouveaux-nés.

LÉTHÉ : le blanc fleuve de l'Oubli.

LIGURE : peuple de Ligurie, colonie phénicienne implantée sur le pourtour de l'actuel golfe de Gênes.

LYCAON : de nombreuses histoires de meurtres d'enfants courent sur ce roi d'Arcadie.

MÉTIS : divinité archaïque, fille d'Océan et de Thétys. Elle est l'intelligence avisée, subtile et rusée.

NAÏADES : nymphes de l'élément aquatique.

NÉMÉSIS : divinité de la vengeance, chargée de châtier toute humaine démesure.

NÉRÉIDES : divinités de la mer calme, aussi nombreuses que ses vaguelettes innombrables.

NYMPHES : divinités féminines qui, comme nos fées, peuplent les campagnes, les bois et les eaux. Elles habitent dans des cavernes, des arbres, ou des sources.

ŒDIPE : d'après une étymologie populaire, le mot signifie : « pieds enflés ».

Parques : divinité du destin. Ce sont trois sœurs qui filent le destin de chaque être humain. Elles ignorent la pitié.

Polycrite : après sa mort, son fantôme réapparut pour dévorer son fils.

Pont-Euxin : mer Noire.

Pythie : prêtresse d'Apollon à Delphes, qui entrait en transes pour rendre ses oracles.

Satyre : démon de la nature, qui appartient au cortège de Dionysos. Son corps a la forme d'un homme, avec des cornes et un pied de chèvre ou de bouc.

Sphinx : en passant d'Égypte en Grèce, le mot s'est féminisé, avant que l'usage français ne le remasculinisât. Certains textes disent : « la Sphinge ».

Styx : fleuve des enfers.

Sycophante : accusateur public.

Tantale : il aurait immolé son fils Pélops pour en faire un mets qu'il servit aux dieux. D'où le supplice mémorable.

Cet ouvrage a été composé
par Infoprint.
Reproduit et achevé d'imprimer sur Roto-Page
par l'Imprimerie Floch à Mayenne
le 3 novembre 1998.
Dépôt légal : novembre 1998.
1er dépôt légal dans la même collection : août 1994.
Numéro d'imprimeur : 44807.

ISBN 2-07-049480-2 / Imprimé en France.